异乡人之书

芦苇散文集

异乡人之书

芦苇散文集

【加拿大】芦苇 著

Pine Bush Publishing

ISBN:　　　　978-1-7372934-5-3

书名：　　　　异乡人之书 —— 芦苇散文集
作者：　　　　【加拿大】芦苇
编辑：　　　　乔伊
封面设计：　　Xayden Djann
出版：　　　　Pine Bush Publishing

献给我的家人

目录

蒹葭苍苍

——序芦苇《异乡人之书》

卢新华

每每有人提及"芦苇"这两个字，我就会很自然地联想到《诗经》中的蒹葭，画面既开阔，意涵且深远——"蒹葭苍苍，白露为霜。所谓伊人，在水一方。"

说实话，因为自己姓卢，早年也曾经动心起念欲将"芦苇"用作自己的笔名。然而，我终于未能成为"芦苇"，阴差阳错地却得到了一个可以给"芦苇"写序的机缘。

大约还是六七年前吧，我到加拿大多伦多的约克大学参加一个学术会议，有一天，一个相识的文友忽然就给我介绍了一位说话细声细气，生得端庄秀气，文文静静的女"芦苇"，忍不住就多看了几眼，——似乎是面对一个曾经的"自己"，并互加了微信。于是也就渐渐地熟悉了。

我最初读到芦苇的作品是她的小说《冬夜的心》，文笔的流畅，人物心里活动刻画的细腻和准确，都给我留下了深刻的印象。

然而，以后读到她以散文的笔法所写下的一篇篇评介现当代世界名著和名家的文章，以及一些带有浓重自传体形式的散文，更忍不住击节叫好。她似乎总能找到最适合自己的视角，去表达她从不落俗套的观点和见解，语言典雅明快，思虑缜密严谨，很多句子还带有浓郁的梦幻感和箴言特征，韵味悠长，激情澎湃……

而我现在读到的她这本《异乡人之书》，更感到几乎是篇篇珠玑。她对"异乡人"所进行的无限丰富的联想，一如书中所写的，"也是发现陌异和可能性的过程，是自我与自我、自我与世界之间的一场永恒交战。"在这过程中，她形成了优美知性、高屋建瓴、思深虑远的大气风格。而且，与一般的单纯的写作者相比较，她除了文字清新、自然、典雅外，字里行间还带有浓郁的哲学韵味。这大概与她大学期间就读的是厦门大学哲学系有关吧。

　　散文通常是以"我"为本的经验写作，大多系真事真人真性情，芦苇对此很以为然。她说："散文的虚构抵消了散文的意义，而矫饰和虚假，最终都逃不过有经验读者的火眼金睛。"她明白，什么才是一个作家与读者最好的相遇方式。

　　故而，我一直很欣赏芦苇的作品和她的写作态度。这些年来，她一直坚持高质、扎实的纯文学创作，坚持真诚而厚重的灵魂书写，甘于寂寞，不问收获。认识她多年，偶尔也有过面对面的交谈。我总有一种感觉：她似乎一直在求真求知的路上不停地跋涉，山风扬起她纷飞的散发，汗滴挂满她绯红的面颊。同时，她对于当下的政治与文化，也一点不隔膜，对人工智能、元宇宙等高科技，亦如数家珍。她不仅将各种信息在心里累积和筛检成"知识"，更经常通过这些知识去寻求自己思想的着力点。智能时代的人类伦理，元宇宙的群体化枷锁，这些时髦事物所带来的喜与忧，全在她的视线之中。

　　十多年前，我曾写过一篇《论"三本书主义"》的文章，提出"人生应读三本书"。何谓三本书？通俗地说，就是"有字之书、无字之书和心灵之书。"换一种说法，也就是指"书本知识"、"自然和社会"，以及"自己的心灵"。但我在大学里给有志于写作的学生演讲或与文友们交流时，则强调"写作者更应读好三本书"。一个不知道读书，读什么样的书，怎样去读书的人，是不可能写好书的。读万卷书行万里路，这曾是唐朝的文人们一直努力践行的格言。他们把行万里路也看作是"读书"，一根小草，一棵大树，一条溪流，一座高山，一只小鸟，一个农人……都是宇宙和自然呈献给人类的一本本书。那里面既有上天的意志，更有造物的语言，用心倾听它，读懂它，才会对我们的生命真正有所帮助，才会保证我们不会在纷繁复杂，有时甚至是凶险邪恶的世间随波逐流，以至于误入歧途。但仅仅是"读万卷书行万里路"，我觉得还不够，所以又加了一句作为补充：叫做"观万遍心"。因为我们人类的心灵其实更是一本大书。佛家亦讲，"心外无物"，"心包太虚"，"即心是佛"，"即心是宇宙"……可见"观心"和"读心"的重要。当然，"三本书"也不是可以割裂开来读的，因为它们虽然表现的形态不同，侧重点不同，本质上却是一致的，我们只有融会贯通地加以阅读才能领略其大要，抓住其本质，唯如此，我们也才有可能首先写好自己的人生这本大书。而人生这本大书写好了，心里流淌出来的思想，笔下抖落出的文字，才有可能或多或少地揭示出宇宙的真谛和自然之道……

曾和芦苇谈及"三本书主义"，她也很认同。芦苇是一个健谈的人，尤其当她和你谈到涉及她感兴趣的文学或哲学方面的话题时，脸上常常会露出儿童般的率直和天真，并会向你敞开心扉，坦陈己见，其中不乏真知灼见。

记得有一次，她在聊起自己读的英文书《爱这个世界》（阿伦特传记）时，曾心血来潮地宣称，自己就是站立在"过去与未来之间"（阿伦特文化随笔集的书名）来"爱这个世界"的。她疑我不解，就又补充道，站立在"过去与未来之间"的姿势，根本上就是青春的姿势。可见她对理论问题的兴趣和深究，常常不仅仅是为了写作，更主要的还是为了精神的"安身立命"，就像苏格拉底式的对意义的追问。因为这个缘故，她的视野显得很开阔，既有浓郁的浪漫主义色彩，又有从容不迫的理性深度，既兼收情景交融式的中国传统文学的精髓，又并蓄叩问灵魂式的西方现代文学的优点。

《异乡人之书》一共有四十多篇文章，大多写于 2019 年至 2022 年之间，这些作品，有的侧重说理，有的偏向抒情，有的长于叙事，语言深邃优美，情感真挚热烈，文气汪洋恣肆……各种文学体裁的优点都舒卷自如地流动在她的文字中。总体来说，芦苇巧妙运用散文这一体裁的自由与多样化的特点，将她的哲思与美梦，藉由零星的生活片段和蕴涵诗意的激情娓娓道来，或铿锵有力，或委婉细腻，于浪漫精微中见情致，于冷峻清远中见风骨，令人眼眸一亮。

芦苇蓬勃的想象力不单在于对景物、情感和人事的细腻观察，也在于对思想和观念的多方位辨识和剖析，她的富有冲击力的修辞总是承载着迷人的哲思。她的散文始终坚持对价值生活的推崇，对常识的普及，以及对人类心灵的理解，这些都是我们这个时代最为稀缺的艺术之"道"。芦苇关注的视野，除了迫在眉睫的现实，还有人类在根本上如何实现个体的自我完善和自由的梦想。她追随内心的声音，诘问一直处于变化中的这个世界，并带来自己的洞见卓识。

她的那篇《冬夜的心》，曾以闪亮的语言描写了异乡的雪和主人公在冰雪中的感受，那是一种对陌生和未知的隐忧——那种孤独感，藉由雪的美丽和寒冷，令人感同身受。芦苇把心理状态当作"景物"来描写，因而，景物也就不再只是景物，而成了情感状态。擅长写景和心理活动的作家不多，芦苇无疑是其中的佼佼者。她在《倾听》一文中提及，敏感心灵与外部之间的关系，既有隔阂也有融洽，既属于情感状态，也属于风景状态。此文中她也说过："走在曲折的溪涧边上，我的心绪也是一样的宁静。林木逐渐茂密，黄灰蝶噗地一声趴在路边的岩石上，一动不动，我盯着它的翅膀，耀眼的黄色变得柔和，犹如在灰纸上用蜡笔涂抹蛋黄的颜色。如此无声的希望，如此深刻的优美。"这样悲悯和纯净的文字，在芦苇的作品中俯拾皆是。

芦苇还擅长将具体事物与抽象事物融为一体，将读者的审美引向精神层次。在《漂泊的蛋壳船》一文中，世上最孤独的一个词有了自己的形状："'漂泊'的形状，不正像波光中的'蛋壳船'吗？它那突出又鲜明的形象，藏匿着命运的凶猛与宁静。"

在《鼓浪屿的黄昏》一文中，芦苇写了一段心灵絮语。她到鼓浪

作者的话

你是这本书的读者。你的精彩和孤独——我不曾听说。我也不知道你涂抹面包时是用花生酱还是用草莓酱？

我在下笔时从来没有想到你。你是一个像"异乡"一样陌生的存在。真实的你，存在于我的想象中。

言归正传。这本《异乡人之书》所收录的四十八篇散文分为三个部分：第一部分"思的境域"偏重于哲思；第二部分"心灵的图景"偏重于叙事、抒情；第三部分"梦想的行走"是以散文笔法写下的文学评论，我始终相信，通过阅读、理解有价值的文学作品，可以构建一种可触摸的新的命运，这也是生活的一部分。

本书的大部分作品写于2019年至2022年之间，有的发表在国内外的报刊杂志上，有的刊登在网络平台上，还有的是第一次发表。需要说明的是，已经发表的一些文章被选入本书时，小有增删。

卢新华先生所作的序言（《蒹葭苍苍》）对于我而言，是永远的勉励，我几乎能背下来了——在感受这份巨大的快乐中，我也感受到了语言文字的力量。

多伦多是一座既热闹又冷清的城市。记得刚来的那两年，我被她的寒冷气哭了——我不得不噙着眼泪到梦里寻找南方的花和竹。梦把我推回生活。这本书中的一些句子就这样从梦里跑了出来。我记下了梦，也记下了梦中所遇的客栈。每个写作者在提笔时都怀着一种被理解的冲动，这种理解本质上是为了在更好的生活中成为一个更高贵更真实的自己。何为"更好的生活"？如果一个难以把握的时代不肯告诉我们答案，我们就只能坐在院子里吹泡泡了吗？——不，我们的心比世界上最强壮的骏马跑得还快，我们优雅的灵魂始终被上天的意志牵引着，谁也不能禁止我们。每一朵栀子花都喜欢笑，每一片卷云都喜欢捣乱……很多流传已久的俏皮话未必符合我的心意，我想知道更多的灵魂奥秘。

我相信，写作说到底是源于梦想、而不是源于感伤的。

玫瑰睡在有刺的绿色枝条上，黎明紧跟着黑夜将我们的眼帘撑开。请原谅偶然的一切吧，请在每一滴有灵魂的露珠闪烁之时，叫出它的名字。

芦苇

2022 年夏

思的境域

到异乡去

我小时候就知道"故乡"这个词很重要。

刚上小学不久，父母调动工作，我和妹妹也就跟着来到了省城。周末时，我们常常乘坐客船回乡下。每次在甲板上听着江水哗哗地流，我的心不知为什么，就像那谜一样翻滚着的浪花，紧紧地卷起来。我总是既期待又迷茫。船到岸时，我的脚步和目光一起行走，遇见熟人时，他们总要大声问些"回来啦？""在外边一定很不习惯吧！""还是我们这里好啊"之类的话，顷刻间，仿佛就有一种难以言喻的激情向我席卷而来，我沉浸于对一个词的遐想中，啊，故乡！我回来啦！在这样的时候，外祖母已经爱上的"异乡"竹庄——我生长的这片土地，就是我的故乡。然而，我光是笑着，却总也答不上来，到底是习惯还是不习惯城里的生活呢？

我住在市委机关大院，食堂里的饭菜花样不少，却没有外祖母烧的菜好，城里的图书馆又大又安静，却见不到外祖父那样掏钱给街上小孩买连环画的好人。沿着家旁边的一条山路，走上两三分钟，就是一个小山坡，那里有块巨石叫天王石，坐在那里看月亮，月亮仿佛就在头顶似的。四季变化，风起雨落，我如今只记得镀了金的阳光洒在石缝里，小草也透出金色光泽。在乡下时，沿着整条街都可以疯跑，到了城里我只能爬上那块巨石，那时我还不知道"寂寞"这个词呢，我只知道巨石离天上的云朵很近。前些年，有一次回国时经过市委大院靠食堂那边的大门，荷枪实弹的警卫站在门口，我渴望进去看一眼天王石的念头顿时烟消云散。说真的，我们每一个人都很像星星，沿着不知哪个轨道滑行，无论方向滑向哪里都很难回到原点。那童年时光难道还需要任何物的见证？不，它只须心的见证。

离家不远是我的小学，一所"重点"小学。班上有一个喜欢欺负别人的男同学，与小孩子的偶尔淘气或恶作剧不同，他看谁都不顺眼，总是骂骂咧咧的。他也曾嘲笑过我的"非本地"口音和"外地"身份。老实讲，我说话没任何问题，竹庄与省城相距不远，人们说着一模一样的话。他欺负过的孩子着实很多，有一次，教数学的倪校长为此训斥了他，并且问道，谁被某某某同学欺负过，请站起来！这时，除了一位女生，包括我在内的全班同学都站了起来，那样的滑稽场面连电影里都没有演过……

回想起初到省城的日子，我还真有点不大适应呢。竟然有人挑剔别人的说话口音！我站在街上呆望着路过的人，人们的说话语气，空气中的浮躁，食堂里不那么可口的饭菜，远离了江边的大马路，全都那么陌生！何谓异乡？这便是异乡！一切都不同了。

惊慌失措的我变得更加内向，只有在语文课上写作文时，我才感到心灵中有浪花在翻滚。我埋头趴在课桌上，听着笔尖在纸上沙沙作响，我用想象力和稚嫩文字描摹乡村的生活，而后再默诵一遍，"重返"故乡。我的一位小学闺蜜至今还记得我小时候对写作的狂热，她曾在我高三那年给我送来一叠资料，让我报考编剧专业，而我在寄给她的生日贺信中引用了雪莱的诗句。记得在小学五年级时，班主任王海光老师让我们代表学校给灾区人写信，而后他挑中我的，作为正式文本发出去。如此动人的儿时回忆，甜丝丝的，无论如何也忘不掉。小学时，已经开始填各种表格，我学到了一个新词——"籍贯"。原来，父亲的故乡即为籍贯地。从那以后我告诉别人，我的籍贯地故乡在太湖边上，是一个鱼米之乡。鱼米之乡的米究竟有多好吃？那要等我寒假回张家港后才知道，果然是街上买不到的那种好米啊，稠得你都忘了乡愁……

大学毕业后，我进入一个机关成为一名公务员，基本上就在后勤部门工作，其间颇写了一些官样文章，那都不是我所擅长的。但有人以为，那是我擅长的——我是名牌大学毕业的文科生，又是女生，做比整个人类的灵魂更重要，这是哪位先哲说过的？我真的好喜欢。我相信，灵魂与灵魂之间，人与神之间，人与人之间，无不横亘着鸿沟，就连面对最亲密的情人、亲人，人们也跨不过一条鸿沟。那是怎样的万般无奈？那又是怎样的趣味盎然？这样的过程也是发现陌异和可能性的过程，是自我与自我、自我与世界之间的一场永恒交战。

因而，"异乡人"不仅仅是指那个生活在异乡的人，更是指生活在"陌异感"中并努力克服"实用性世界"束缚的探索的人。这样的人，身上散发出生命自身所特有的新鲜气息，那气息让人想到一棵熟透的芒果的香味。艺术家必须是"异乡人"，他不会只满足于日常角色，他要在社会化的过程中创造独属于自己的艺术真实，换句话说，所有赋予他的社会性角色和符号都并非他的真实，他要在寂静中搜寻喧闹，要在眼泪中提炼爱的精华。他的生活不仅仅在于日常的点点滴滴，他在房间里看书、雕刻、作画，都不单单是为了消磨时光，更是为了理解更多的人和事。他拆掉心中的一切围篱，只为随时可以看见外面的野鹿、杂草，他战胜钳制自由的谎言和暴力。时间不请自来，灵感也是一样。艺术创作就是剥离"差异"和"空白"的一个过程，即对"陌异"的认识和消化。

当然，艺术的旅程并不意味着非要精通绘画、设计、写作、雕刻、歌咏、手工……艺术的旅程首先意味着心灵的觉醒，我们应当意识到，在熟悉的世界中要敢于面对陌异、寻找惊奇、寻找自身未被显现的真实，只有凭借这一真实我们才能最终发现这个世界的真实，有了这种意识，一个人才成为现代人。有了这种追寻意识，一个人才成为艺术家。

当今世界的科学技术高度发达，每一个世俗生活中的个人都有很多机会重新认识自己的身体、知觉。人类身体的构成，从细胞、组织到器官、系统，从大脑皮层到染色体、基因……从无知到有所知，可以说，生命科学每天都在创造出新的可能性——像细胞分裂那样。从这一点上看，人对自己身体的认识也是一个追根溯源的过程，而与身体密不可分的心灵更是依托于"想象力"这一人所具有的最本源力量，不断地寻找：寻找灵魂的住所，寻找造物主的踪迹，寻找万事万物的秘密，寻找爱，寻找词语——单凭这微小的愿望，人就可以熬得过一切疼痛了。

因此，每个人身上都藏着一个"异乡"。在那里，驶向远方的路也驶向心灵；在那里，描绘世界的游戏永远都没有尽头。

每天，我们都在凿开一扇心窗；每天，我们都在面对崭新的大地和天空，感激即将到来的爱与欢笑。

到异乡去！——我听见灵魂大声地说。

到异乡去。

在陌生与希望中，在色彩与诉说中，我们活下去。

这正是艺术的本质。

——写于 2021 年 11 月

重返爱的居所

长大后，我对哲学产生了兴趣，并且如愿以偿地考上哲学系，接触到一些哲学和心理学方面的书籍。书中处处铺展着奇迹，人类对灵魂和精神的好奇从未中断过。出国后，我还通过阅读英文版的理论书籍来加深自己对重要概念的理解。当然，阅读英文小说和其他的文学书籍要轻松得多。对我而言，最怪异的阅读感受来自《唐诗三百首》的英文版。李商隐的"残阳西入崦，茅屋访孤僧"变成了以下的字母组合：

Where the sun has entered the western hills,

I look for a monk in his little straw hut;

这种感觉与译文的准确程度无关，心都是一样的，血都是温热的，语言都是相通的……然而，谁会相信呢，我曾经因为这样的怪异感而哭泣。

当我在两种语言中畅游时，我得承认，我在得到的同时，也在失去。我在如此准确的汉译英中失去了挚爱的李商隐。不精通中文和中文古韵的人不可能识别李商隐的独特之处。有些陌生感，譬如两种语言之间的偏差，无法靠人的聪明才智去克服，母语带给人的家园感无可替代，人在语言中得到和失去的，在某种程度上就意味着他在思想和感情中所得到和失去的。故乡和异乡，在某种程度上也意味着语言形式的转换，所以必然地，这种转换也意味着思想和感情的重新得到、失去。我特别偏爱的作家，多为辗转于故乡和异乡之间的漂泊者。这不难理解，因为故乡和异乡作为两个概念，不仅象征着脚下踏出的不同路径，而且象征着与灵魂一样神秘的思之路径。这条路上，花瓣落在脚边必会激起心之涟漪，而等着改变一切的，却是没有形状的风。

我读过几本荣格的书，虽然喜欢他的智慧，却没有对他的心理学理论产生浓厚的兴趣，他让我着迷的反倒是文字里的激情，他写《尤利西斯》的那篇长评，令我产生出惊异感，文句中的神秘席卷一切，我从未在正儿八经的文学评论中感受过此种豪情，沉浸于《尤利西斯》的心理学家荣格，比乔伊斯还"乔伊斯"。当他解读文学时，他隐藏起痛苦：即使理解了生命的广度和深度，人依然只能选择孤寂，而在孤寂中滚爬的心只有穿透"潜意识"的迷雾，才能获得透彻的慰藉。他试图消除他人的困苦，注重对个体心理的理解，他赋予每一个人不一样的"治疗语言"。对语言内涵的解释和理解，既发生在不同语种之间，也发生在同一种语言的内部。

当然啦，我并不愿意套用荣格的理论来解释梦。"这只是个无用的梦吧！"每当我从怪梦中惊醒，我总是这么安慰自己。人必须克服恐惧，包括对梦的恐惧，我只希望想念什么就梦见什么。

刚上小学不久，在一个风和日丽的白天，我失去了世上最疼爱我的外祖母——她永远地睡着了。当我失魂落魄地坐船赶到她床边时，她微笑的面容极美极淡，像一位真正的美人。我多想再一次依偎在她怀里，我多想再一次为她捶背抓痒！上一次她喊我给她捶背时，我正急着找小伙伴玩，溜掉了，可现在再也没有机会了！那时候，我没想到她已疾病缠身，她总是那么勤劳，总是那么安稳地笑着！我凝视着她宁静的脸庞，那一份无忧无惧的静谧使我的心颤抖不已。外祖母美了一辈子，我见过她年轻时和丫环的一张黑白合影，卷发的她面若皓月，美若天仙，总之，很美很美，与后来种菜种玫瑰、添柴烧开水的她，笑容一模一样。她一辈子都在为一家人吃饱肚子而操劳，却鲜有

一个异乡人的不安之书

没有一个作家是真的不想说什么的。那些卓越的作家即使在现实中备受打击，也会希望和配得上自己才情的未来展开对话。

费尔南多·佩索阿生前甘于困窘，像一只固执又老迈的蜗牛，在春天闪着银光的杨树上爬行，动作虽然迟缓，目标却高不可攀。明明是这辈子发生的事，他偏要否定，说成是前世梦里的景观。他在散文和诗歌中，通过数十位"异名者"的身份进行创作。他不是他们！连作者都成了虚构人物！

佩索阿和我们每天在写字楼遇到的、端着咖啡杯闲聊的、领薪水的上班族没什么不同，但他下了班就过上和我们不同的生活。

最近一年多来，因为新冠病毒的肆虐，人们的正常生活都变得不正常了。不安的情绪犹如一团嗤嗤忽闪的小火，在顽石和尘埃之间，在每个人的心灵缝隙之间，慢慢燃烧。

我和家人改为在家中上班、上课，我还要担当我们这个六口之家的"大厨"，格外操心。实际上，这两三年来，做一顿晚餐已经成了我日常生活中最有仪式感的首要任务。下厨并不只是炒几个菜那样简单，从营养到花样，再到每个人的口味，一餐饭的开始，源于前一天的筹划，或者说，源于买菜时就开始的筹划。这使我回忆起以前的轻松。我可以放心地前往外地出差，在飞机上望着刚刚放晴的天空，用电子笔画下窗外的一抹湛蓝。到达目的地后，我喜欢在工作之余顶着烈日或迎着风雨，开始自己的文艺之旅。狮子山下的白发伉俪，拉斯维加斯的沙漠尘土，上海街头的巴黎风情，纽约的十八里书店，故乡小巷中的黑发少女，各地的艺术画廊和博物馆，全都像一幅幅油画吸引着我的视线。工作如果不顺心了，我当然不会只想着从智者之书寻找答案，我会走进某个咖啡厅或餐馆，到离开时，我当然就会开始注意到露台上盛开着的常青植物。长周末或生日时，父母帮着看顾孩子们，先生和我有时还会一起去美国或近郊度个短假，这不过就是前几年的事情。当然啦，在疫情暴发前，我和家人可以经常下馆子、买外卖，这一年多来，外卖买得少了，下馆子也成奢望。忙碌的先生更是"运筹帷幄"，从早到晚地开会，说得口干舌燥，一天要喝掉六大杯水。女儿和儿子都在家中上网课，有些寻常老年人基础病的父母一日三餐都不能马虎。父母体谅我，尽量减轻我的压力，但我仍然小心翼翼，生怕哪里考虑不周。从疫情一开始，我就像一只惊弓之鸟，每每被一个新闻、一句话戳中，多出很多机警和心思。到了稍微清闲的时候，母亲一边煮好滚烫的白茶慰劳我，一边依然敦促我，敦促我如何在这段"非常时期"更多地照顾先生、子女。至于我个人思想上因这被改变了的世界而产生的失落与不安，更是从未间断过。

去年夏天，一向还算强健的我受到不小的惊吓。在搬动装有食物的纸箱时，因动作鲁莽，我不慎拉伤肌肉，引发身体长时间的莫名疼痛。但一开始并不确知缘由，只好一次次地预约医生，又是电话，又是视频，后来还前往诊所求医，身穿黄色防护衣的家庭医生给安排了几项相关体检。在几次等待体检结果的过程中，各种胡思乱想像过山车一样，从低点到高点，再从高点回到低点。我甚至想到了维特根斯坦的一句话，得到了古怪的安慰。那句话的大意是，人在活着的时候，死神是不会降临的。所幸检查结果正常，一切无恙，但那么折腾一番，家门口的枫树就已经由绿色变为红色。经历了这些琐碎的压力后，我对什么才是生命中最重要的事有了深刻的感触。

如此说来，我们平时难免抱怨的琐碎小事，都要有很好的运气才能够遇见。一年到头，能够安心地为家人下厨，何其幸运！说到底，人是没有办法随心所欲的，就连选择孤独也不能随心所欲。我们逃离不了注定的平凡生活，一日三餐，年年月月日日，这是我们不愿承担孤独的代价，我们离不开爱与陪伴。

心灵的波涛中。佩索阿身居里斯本，里斯本却是异乡。他那样的人是没有故乡的，生活对他来说，只是一座路途中的客栈，他不知所往，只有荡然无存的过去使他心醉。

佩索阿去世多年后才为世界所了解。据说，他的作品至今还在整理中。按照时髦的理论和对文化人物的归类，佩索阿是欧洲现代主义的核心人物。当然，他活着时对自己的"核心"位置一无所知，他感慨道："我唯有在变成雕像时才受到理解，人在生前受到的冷漠对待，死后是无法用爱弥补的。"每一个时代都会错过它最好的作家，时代的不肯认同，有时候是出于作家被权势迫害，有时候是出于文学圈的妒忌和排挤，有时候是出于读者的平庸，但更多时候是出于不可跨越的认知差距。

追随时代与追随真理，境界迥异。

当然，对于像佩索阿那样被时代错过的人而言，现实选择中的困窘并不那么可憎，他如果想在世俗生活中谋求多一点的利益，不会太难，生命无非一场选择，而理想主义者的主动选择往往处于一种"在真理之中"的境界，他们选择不一样的命运多半是因为孤独和卓越。很多时候，当我们苦苦攫取尘世的幸福时，我们并无资格讥讽那些落魄、落难之人，他们沉重而无奈的选择，往往负载着价值生活的全部精神内涵。

佩索阿死后数年才成为葡萄牙的骄傲，成为二十世纪欧洲现代主义时期最了不起的少数作家之一。现代主义象征着对传统的反叛，象征着自我意识的觉醒，在文学上更注重抒写感觉。意识流小说就是现代主义文学的重要分支，佩索阿的写作也有显著的意识流特征。说真的，对于自己被归到哪一个"伟大行列"他才不会在乎呢！他的孤独和遗忘，全都那么决绝，他遗留于世的文字就像一束幽潭微光。佩索阿生前生活拮据，不得不为了生计出门去打一份工，但他又不肯仅为了一口面包活着。他放弃赢得更多"面包"的机会，把全部的爱和力量都给了文学。

佩索阿骄傲地声称："我一寸一寸地征服了与生俱来的精神领域。我一点一点地开垦着将我困住的沼泽。"

佩索阿最吸引我的是他的情绪。他作为作家的连绵不绝的思考，和他作为思想家的连绵不绝的诗意。那可不是一个落魄男人的情绪，那是一个异乡人的情绪。

那也是一个完全理解了自我处境之人的情绪。

他在书中坦承，他与别人的最大不同在于，别人"用感觉去思考"，而他却是"用思考去感觉"。的确，这位用思考去感觉的作家，在自己的自由意志中放弃了世俗的"攀登"，他只凭着心灵"眺望"，便占据了"一切山峰"。

佩索阿的文字虽然对于改变一个社会制度或赚取一点物质利益并无直接用处，但他的文字真实描画出思想者的精神沼泽，他的文字维护自由之人的感受力、敏感性和独立精神。这比什么都重要。这种精神汇集起来，就有了更加文明的社会形态。

佩索阿的情绪包罗万象。这个没有结婚过的人未免有些悲观，但他在《不安之书》中所构建的不安情绪却并非普通的焦虑。他着眼的，是整个宇宙、全部人类及一切灵魂的不安。他否定了理解，却又用一生的执着留下希望被理解的证据。在他不安的文字中，我们看不见太多他个人的悲欢离合，但他整个人就蜷伏在书页里，和我们——所有的读者在一起。这是一本应当带到荒原里去阅读的书，因为它描述的正是异乡人在命运荒原里的"不安"。荒原里有沼泽，有模糊的远方。

那么，究竟谁是异乡人？我们所有的人。是的，相对于终极命运而言，人生在世，并非栖居于故乡，而是漫游于异乡。当"永恒"尚未现身时，人不可能回到真正的故乡。

这一生一世的所爱所恋，都将消逝在难以确定的未知与幻想中，想到此世与彼岸，想到过去与未来，想到曾经和即将激荡灵魂的一切经历，"异乡人"才是每个人最为准确的尘世"身份"。在《重回童年》那一段中，佩索阿问道："上帝在何处？即使上帝从未存在？我想要祈祷，想要哭泣，想要为自己没有犯下的罪行而后悔，想要享受宽恕的感觉，那感觉比慈母的抚摸还要美妙……哦，无边的死寂，让我重回保姆的怀抱，把曾经哄我入睡的婴儿床与摇篮曲还给我。"

这场哭泣属于佩索阿和所有敏感的人。

佩索阿将信仰比喻成一个被放置在托盘上的"封好的包装箱"，等着被接受，却无法被打开。面对如此神秘的未知，他如何打开它？

用语言，唯有用语言。这就是佩索阿的选择。

大部分的写作者都在笔下寻找一点什么，而以苦难为笔的佩索阿，却将人类在前行道路上所无法找到的东西全都袒露在阳光下。正因为无法找到，所以不安。正因为这份夹杂着强烈渴望的不安被诚实地袒露在阳光下，所以才有了慰藉。

——发表于 2021 年第 11 期《书屋》杂志

思考的境域

芦苇是大自然里惊艳四季的植物，生命力顽强、形象美好，备受世人喜爱。每一个季节，它都罔顾风的方向紧紧扎根于大地，享受着大地的温柔呵护。最美的当属芦花盛开时节，百花凋零，只有芦苇保持着一贯的姿态，柔软又坚强。芦苇的沙沙作响，声音不那么雄浑有力，却使人产生奇异的感觉，仿佛暖阳照进心灵沼泽，所有动荡不安的情绪顷刻间烟消云散。傍晚之际，广阔的淡金色芦苇丛中唰唰飞起一群白鹭，它们在水面上舒展双翅，宛似朵朵雪莲花悠然绽放。岸边不见人影，唯有波光粼粼的河水在暮色中一点一点地暗下去。

拥有精灵般自由的芦苇也具有多种多样的实用性，人们用它来制作房屋、人工岛、草船、苇席、芦苇笔等。世界上最古老的楔形文字，就是由苏美尔人用芦苇笔在黏土上刻写的，再由大火烧制，得以长久保存。六千多年前的人们就这样将他们的经济活动、赞美诗、祷告词以及他们对缥缈无形之物的疑惑记录了下来。

"芦苇"还是一个质朴浪漫的人名，创作过《霸王别姬》的著名编剧就叫芦苇。我选择"芦苇"作为笔名却不是因为浪漫。我刚上小学不久，最疼爱我的外祖母因病去世。从那以后，家人就给我取了个小名"芦苇"纪念她。外祖母姓芦，她和她的父母是从湖北漂泊到福建的。每一次，当我写下"芦苇"这两个字时，我都依稀看见，幼年时见过的星光划过夜空。我相信，外祖母的在天之灵一定可以感受到我从未向她表达过的爱。我猜想，她应该欣慰于我的变化，儿时的我声音沙哑，极其沉默，长大后，我喜欢放声歌唱，我生命中最重要的那些人全都感受得到我的欢乐与爱意。

有个作家好友调侃我，说我的笔名不如真名，因为"芦苇"这个词太过普通，我知道好友是激励我必须成为独一无二的自己。调侃归调侃，我当然并不介意，我心爱自己蕴含着思念和诗意的笔名，不舍得改。我的文字只诉说我的视野，我所见的每一片森林，也只是蓝天下的一小片方寸之地。即使我迷失在自己所感知到的风景中，我也愿意等待，等待心灵的薄雾消散，等待和世界上那些最忧伤的人们一起，看天空的再次破晓。

说起与芦苇有关的诗意，两千多年前的诗歌集《诗经》就留下了一首咏颂之诗：

蒹葭苍苍，白露为霜。

所谓伊人，在水一方。

溯洄从之，道阻且长。

溯游从之，宛在水中央。

蒹葭萋萋，白露未晞。

所谓伊人，在水之湄。

溯洄从之，道阻且跻。

溯游从之，宛在水中坻。

蒹葭采采，白露未已。

所谓伊人，在水之涘。

溯洄从之，道阻且右。

溯游从之，宛在水中沚。

这首诗讲主人公伫立岸边，思念"在水一方的伊人"。"她"或是一位美丽而不可得的妙龄女子，或是一位踪迹难寻的旧日相识，又或者，"她"只是一个可望而不可即的人生夙愿与理想。河岸边上的失意之人被若隐若现的"她"折磨着，心中笼罩着阴郁。主人公那颗忧伤的心发出低沉的呼唤，苦苦追随"她"的方向。这是不是很像一股执念呢？不顾逆流而上，不顾道路曲折，也要抵达"她"那里。诗中人对爱、对信念的执着，从未被时光之河淡忘，茂密的芦苇也与时光一样从未离开。

至此，芦苇就不单是一个忧伤又充满希望的文学意象，同时也是陪伴诗中主人公寻找爱和理想的有情之草。在主人公寻找爱和真理的路途中，芦苇的形象深入其心，梦想恍若幻景，所有的心愿都涂抹着湛蓝的天空色彩，而寻找的过程却是无奈的，似有路，似无路，一次一次的顺流而下，一次一次的逆流而上，水中央的"她"依旧遥不可及。主人公知晓了自己既迷惘又甜蜜的命运，然而，迷惘不会动摇他的决心，岁月有多长，道路也有多长。

《诗经》中的这首《蒹葭》出自《秦风》，是一首源于秦地的民歌。一个痴情人在苦苦寻找的过程中，并没有止步于"古今多少事，都付笑谈中"的虚无，而是借由一幅秋思之景表达他对价值生活的求索之情，既苦恼又持有希望。生命有限，追求无限，从有限中追求无限，芦浪翻滚，心浪翻滚……如此深刻优雅的情感糅合着对自然、对生命的深沉体验，仅仅通过几行诗就创造了一个不可言传的美丽世界。

东方文化历来强调"顿悟"，而《蒹葭》却有所超越，它着重强调过程之美，强调对价值生活的向往，因而，这是一首独特的具有现代意识的古诗。

在西方文化中，芦苇的美比起芦浪翻滚和"蒹葭苍苍"更为惊心动魄。帕斯卡尔是我最早读到的几位哲学家之一。他在《人是一根会思考的芦苇》中写道："人不过是一根芦苇，是自然界最脆弱的东西，但他是一根会思考的芦苇，不需要整个宇宙武装起来才能毁灭他，一口气、一滴水就足以剥夺他的生命。即使宇宙要毁灭他，他也比致他于死地的宇宙要高贵得多，因为他知道自己将要死亡，他知道宇宙相对于他的优势，而宇宙对此一无所知。"

所以，我们所有的尊严就在于思想。

帕斯卡尔将人比喻成"一根会思考的芦苇"，真正的智者无须说出冗长的句子，他只需与世隔绝地说出简单的真理。当然，帕斯卡尔这本思想录的书名与其说宣示了一个真理，不如说创造了一个无边无际的思想境域，人们停留其间，或彷徨，或寻找。

人是一根会思考的芦苇。所有人都喜欢这句话，它几乎说出了一切。

在我看来，世界上可以与之媲美的抽象句子，只有"我思故我在"。

如果芦苇是孤独又脆弱的，那么思想也是；如果思想是孤独又脆弱的，那么芦苇也是。

人们推开窗户，感受到清晨的风吹过来，便开始一天的生活。院子外的小鸟也在果树上叽叽喳喳地觅食，若有人推开门站到树下，它们便噗的一声全飞走了。天慢慢冷了，这些鸟儿将飞往何方？人替鸟儿考虑它们如何过冬，鸟儿却不会替人操心同样的事。当一个人在思考的时候，他通过自己的创造性思考"囊括"了整个宇宙。这个词颇叫人难以理解，一句话不说，想一想来龙去脉就叫"囊括"了吗？

正是如此。

人的生命非常脆弱，一不留神就被宇宙和命运无情地捉弄，但人能够通过思考意识到这一点，而宇宙却无法意识到这一点。宇宙无法意识到的是，它毁灭了在它手中的一颗微不足道的灰尘（人），但这颗"灰尘"绝对能够意识到他被宇宙、被命运毁灭了。这颗"灰尘"

会因此感到"凄凉",这是人之为人的最大尊严,即思考本身。这很了不起。帕斯卡尔的这一发现揭示了人和思想的相依为命。

每一件物品上都会落下灰尘,不知何时落下的灰尘。尘土从地上升起,又落在地上,风将尘土吹来吹去。大脚蜘蛛出于本能在角落里与蜘蛛网纠缠,但人与蜘蛛不同,人见到灰尘,会联想起与灰尘无关的东西,比如"蒙尘的心",即使不识字的乡野老妪,她也能够从"灰尘"中联想起某种与"年岁"有关的消逝,联想起与人的本质归宿有关的感叹。当她听到一个熟人去世,她会叹口气说:唉,人可真是渺小啊,如同一颗尘埃……

当人们讲述一个事情终于办成,处于某种稳定"位置"时,人们长吁一口气说,啊,这可算是尘埃落定了!这里的"尘埃"就象征着一个事情的结局。这种对"灰尘"的"表象"与"内在"所进行的联想,是仅有人类思考才可以抵达的精神境域。

我们耗费一生寻找爱,寻找美,寻找神的踪迹,我们的生命融入宇宙,一切都在离开我们,一切又都在靠近我们。就这样,通过我们的思考,通过我们的言说,我们拥有了未知的全部世界。

帕斯卡尔在《人是一根会思考的芦苇》一书中对哲学和理性都有所嘲讽,但我并未对此产生任何反感,从一根自然界最平凡的芦苇联想到思想的伟大、人的尊严,人世间的满天花雨在哲人笔下化作隽永的词句,这是一个多么有趣多么爱幻想的人啊!

自此,我眼中的芦苇不再仅仅是驻守河岸的柔软的草,而是成为思想和力量的象征。《诗经》里的感性芦苇与帕斯卡尔的理性芦苇遥相呼应。两种奇异、动人的美相遇了,我在书中与不一样的"芦苇"相遇了。在不同的空间,不同的时间,我也飘飘然地"包揽"了"芦苇"的一切,就像芦苇"囊括"了宇宙万物一样。那在"无穷大"和"无穷小"之间漂游的草,竟然承载了从古至今那么多的美丽、脆弱与深思!

一根弱小的芦苇，背起了整个世界。

——发表于 2021 年第 9 期《书屋》杂志

你是否还在流浪？

今天是四月二十一日，我坐在家中壁炉边上的枫木书桌旁，刚泡好的一杯绿茶还热乎乎的，散发出一缕淡淡清香。眼前的电子书停留在《海德格尔与阿伦特通信集》中的《目光》这一章，"目光"在德文中也有"闪电"之义。我想起海德格尔在《存在与时间》中曾经指出，存在不是存在者，存在是存在者得以被理解的境域。不知为何，我非常喜欢这句话。我理解了这句话的的含义了吗？

抬起头，已长出绿芽的木兰树在微风中轻轻晃动，草地绿了一半，春意渐浓。可是几片雪花却惟恐春来，依依不舍地亲吻着大地，接着，我竟见到了阳光。越来越密集的雪花在阳光中像一只小白虫，它们灵巧的身影飞来飞去，与初绿的草融为一体。披着黝黑外衣的小松鼠嗖的一声跳上篱笆，身体微微颤抖着。黄雀鸟在院子里蹒跚几步，就停在一块青砖上，目送飞雪离去。对于我这样一个喜欢懒散地漫游于精神世界的人而言，我没有错过阳光沐浴下的青草上的水珠。这个傍晚有点神秘，一如从前的四月：出其不意中飘来一个雪天，然后春暖花开。

但这个春天又有不同，一场新冠疫情让全世界停下了它繁忙的脚步，与罹难者悲惨遭遇有关的画面也通过网络传遍了全世界。中国的武汉封城三个月，刚刚解禁不久，我从好友的朋友圈相片中看到武汉的春花已经开了。我敬重的作家方方也在微博中说，颇有些读者到文联大院给她送花，我猜那些姹紫嫣红的鲜花，都是当地的吧。毫无疑问，武汉这座留住了黄鹤楼的名城，也是方方倾心守护的"家"之所在。说起黄鹤楼，谁不知道唐代诗人崔颢的《黄鹤楼》？"晴川历历汉阳树，芳草萋萋鹦鹉洲。日暮乡关何处是？烟波江上使人愁。"这首诗写的是诗人在黄鹤楼上的感慨。到底是黄鹤楼成就了名诗？还是名诗成就了黄鹤楼？一千多年前的幽思，一千多年前的"汉阳树"与"鹦鹉洲"，我们至今还能在吟诵中拥有它们。千百年来，美丽的语言与美丽的黄鹤楼一样，古朴、优雅、美轮美奂，住在吟诵者心里。

我又环顾四周，我的有些凌乱又充满生机的家。灰色布艺沙发的两个角落里摆着四个棉布抱枕，软绵绵的，舒适又好看，我花了整整两个周末才在 Pier 1 淘到的。其中两个是纯蓝色，另两个的图案是几株抽象的苹果树。树干粗粗的，树冠圆圆的、亮亮的，树梢上挂着的灰蓝色椭圆小树叶像闪烁的繁星。沙发边上立着一盏落地灯和一盆吃力向上长的绿竹盆景。地上少不了孩子们总也没空收拾的玩具弓剑、扑克和过期杂志等。

墙上挂着孩子们手绘的许多"世界名画"。有梵高的《向日葵》和《星夜》，有加拿大画家约翰逊的《杰克松》，还有莫奈的《日出》和《睡莲》等。闲时望着这些稚气又无忧无虑的"赝品"，我总是心中一暖，仿佛在童年的某个憧憬时候见过这些画，感到满足。沙发旁的茶几储物层里有一些手工卡片。那是我和先生在母亲节、父亲节时收到的来自孩子们的礼物，孩子们不忘在一笔一划绘制的英文贺卡中加入一两句中文，如"谢谢爸爸""谢谢妈妈""我们爱您"等。他们是认真的，认真地守护他们并不精通的汉语。他们偶尔会从学校给我发来中文短信：妈妈，今天雪很大，开车小心一点……

因为有家，就有了理解与爱，这多么美好。

离开中国后，汉语也成了我随身携带的一件无声行李，它和家里的一切温馨、凌乱一样，给我真实的家的感觉。

人在世界上需要一个家，需要一个住下来的地方，房屋由此产生了。当我在欧洲看到那么多高耸入云的教堂时，便忍不住想起一句动人的话，教堂是上帝建在人间的家。

"家"，一个令人魂牵梦系的词！大地上的凡人离不开它，上帝也离不开它。

与"家"的温暖相比，有一个词冰冷得叫人心碎："流浪"。从字面上看，流浪当然是指一个人行居无踪，没有家，没有可以安顿下来的地方。

但在哲学家看来，事情不止这么简单。海德格尔就说过："诗是真正让我们安居的东西"。他想说出什么？为什么诗可以让我们安居？

让我们看一下他在《人，诗意地栖居》一书中的原文："'人诗意地安居'更毋宁是说：诗首先使安居成其为安居。诗是真正让我们安居的东西。但是，我们通过什么达于安居之处呢？通过建筑（building）。那让我们安居的诗的创造，就是一种建筑……如果我们循此寻求到诗的本质，也就把握到安居的本质。"

哲学家想让人通过把握诗的本质来把握安居的本质。照我的理解，诗的本质主要是指诗人返回"故园"、亲近本源的创造，即building。

那么，安居的本质也和诗的本质一样，就在大地之上，在存在者的存在之中，在"建造"之时。

这当然不只是指我们住在大地上的一座房子里，也不只是指我们正在盖我们的住所。这里的"安居"，更指我们何以安顿心灵，即我们的精神世界以何安居。

哲学和宗教的兜兜转转都绕不开这一点。

人应当拥有一个精神家园。这个"家"的秘密不在红砖绿瓦，不在黄金白银，它的"建造"甚至不需要任何同伴，一颗尚在跳动的心就是它全部的秘密。

这个精神之"家"根植于心灵，以想象力为基石，以"思"为道路。穿过七彩彩虹横跨过的天空，穿过草长花开的大地，穿过诸神齐声呐喊的宫殿，穿过芸芸众生以"思与诗"为质料所创造出的闪电般的奇迹……

但我们如何理解这一切？想象中和现实中所出现的这一切？我们如何理解所有凡人不平凡的开端与终将平凡的结局？如何理解众神俯首微笑之时的人性光辉？如何理解凡人对安居的渴望？这想象的境域又如何让每个人能够彼此理解并诚实相对？我们最终能否理解自己作为存在者的存在？

我看见"思"化作语言，翩然而至。

即便是无声之物，也会通过我们的心灵振动化为"轰鸣"的语言。"存在者得以被理解的境域"就是存在本身，它广阔到没有边界，它发生在每时每刻。它带来快乐和圆满，带来理解。

精神之"家"正是通过"思"，以"语言"来"安居"的。

没有比这更重要的事了。人们的身、心，至此不再流浪。

人的心灵唯有靠语言才能实现其安居。

当我从海德格尔的语言观阐述中回到现实的时候，我不免又想到最近被新冠疫情彻底改变了的世界。"在家工作"和"社交距离"成为大多数人的生活常态，出门买菜像奔赴前线，顾客和营业员之间隔着玻璃板，回到家里要戴上手套，对着内外包装喷洒消毒液。买一次菜从出门到回家、洗完澡的整个流程，就花掉将近一天的时间。这真是前所未有。我喜欢的林中漫步也成了奢望，我依然到家附近的小森林去，但我却为不习惯戴口罩而伤神。为了减少呆在户外的时间，避免被他人飞沫所"误伤"，我将散步改为跑步。这么一来，我原先在漫步时所感受到的诗情画意——一种富有哲思气息的"时间性"存在，那种流水般地陪伴着我的一分一秒的"时间感"完全消失了，一场单纯的体育运动令我头晕目眩，很快就冒出一身大汗。困难还不止于此。还会遇见同样在锻炼的人，得装作胆大或者胆小，避免与人交谈。我从未遇见过跑步时戴口罩的人。市中心的最醒目广告牌上，"请您呆在家中"代替旧的商品广告语，成为最新时尚。

我在手机上记录了这些莫名其妙的时刻，这些出乎意料的瞬间，记录了一家人"共宅"的点点滴滴……也许哪天，我也愿意像别人那样，写个"2020 年春天日记"之类的系列文章，也许，我什么都不愿意写。但这个念头却使我联想起方方日记和文学。

作家落笔之时，"思"化作文字，他的思想和创作理当自由。而他所写的，或可揭示一点什么，或者什么也揭示不了。方方和同行们以创作的作品为"家"，这也算是作家的"安居"，是"存在"自身的要求。一位作家身居"禁足之城"，写点什么，不成问题，但如果别人要求他什么可以写，什么不可以写，那就马上成了问题。

如果思想不自由，语言被控制，无论一个人身居闹市还是归隐乡野，无论一个人富可敌国还是身无分文，他都只是处于流浪状态中，他找不到精神家园。试问，他以何种建造的方式使心灵得以安居呢？

海德格尔说："语言是存在的家"。这个结论不是存在的结束，而仅仅是开始。从这里开始，理解，判断，言说，理解。

守护语言就是守护所有人的精神之"家"。守护语言，最需要保证思想的自由，那是一个人最具本源意识的冲动和力量。斯宾诺莎曾经说过，人有两个天赋人权不可被剥夺：感情的自由和思想的自由。思想的自由要求言论自由。人若失去言说的权利，就不能算是住在"语言"中，没有了"语言"这个"存在的家"，"存在"和"存在者"又从何谈起呢？"存在"是看不见的，它通过"存在者"予以显现，通过人在大地上的劳作以及对劳作的思考予以显现，例如农人建屋、村妇砍柴、诗人写诗等。

用语言建筑我们的精神之"家"，用经过深思的诗意语言建造我们的心灵安居之所，这才是值得珍惜的命运。思考和语言或许总有所缺，那又何惧？我们活在无奈和局限中，"思"以它的智慧召唤我们。人只有敢于捍卫"说话"的权利，才不至于"无家可归"。如若放弃，那他在人世间所得到的"家"就只是由几片碎瓦搭建而成的囚笼罢了。守护思与言说的自由，人才会"有家可归"，这关系到存在本身。

写到这里，我也想引用陈家琪教授在他《敢问"家"在何方》一文中的一段话来作为结束语，因为这也是我这篇文章希望能够有所阐述的道理："如此看来，如海德格尔所言，只有语言才是存在的家了。其实只要我们谈论着'家'，这本身就是'回家'的一种形式。我们就在'家'中，只是对它的束缚和所可能给予我们的新的意义关系无所意识而已。意识到了，也便知道了'回家'，就是尽可能丰富的言说和守护，那也是一种权利，一种生来就有的权利。"

——发表于 2020 年《雅白话》微信公众号，选入《2020中国年度随笔》（漓江出版社 2021 年版，徐南铁主编）

寻找加缪

去年秋末，我又一次来到巴黎。除了陪伴父母游览市区风光，我也想在加缪的一百零四周年诞辰纪念日到来之际，去他曾经喜欢的咖啡馆坐一坐。朋友谢先生是一位深谙巴黎秘密的当地人，他告诉我们，这座花都深得老天眷顾，绵绵却不扰人的细雨总是奇迹般地从天而降，那些雨珠儿，你伸出双手捧起的蜜一样的细雨啊，柔柔地泼向户外的花草植物。百花缤纷时，古老的教堂和街道，碧波荡漾的塞纳河，梧桐叶子的沙沙响以及巴黎天空的蔚蓝，无不令人以为那样的季节是不可战胜的。

那天早上，秋雨轻轻地下着。我经朋友推荐来到了闻名遐迩的花神咖啡馆，它位于第六区的圣日耳曼大道和圣伯努瓦街转角处。从街对面就可以望见它的清雅外观。二楼窗外的花架上缠绕着青枝蔓藤和夏秋繁花，葱郁的绿色中夹杂着大红色和浅橘色，一座小花园般的安宁与华美，静静地缠绕着铁艺雕刻的白色店名招牌。

走到咖啡馆跟前，我看到窗外站着一位头发卷曲的年轻男子，手里端着咖啡杯，鼻梁上架着一副眼镜，颇像一位诗人，脸上流露出自负与羞怯疾速交替的表情，令我感到相当有趣。顺着他的目光，我看到玻璃窗中"反射"出亲切的街道、静悄悄的古欧洲建筑、打着伞的路人，像极了一幅大型时尚油画。舒适的红色长椅、镜墙和老式欧洲装饰艺术等，令咖啡馆保持了从二战时期开始持续至今的样貌，椅子上坐着热爱咖啡的巴黎人，亮橘色灯光照耀着室内的一切。

户外座位区并没有因秋雨和秋风而显得冷清。沿着玻璃窗摆放着一整圈绿边红色椅子，一张挨着一张，每两三张椅子中就配有一张小圆桌。白色帐篷延伸出温暖而私密的氛围，巧妙地将咖啡馆的区域与大街隔开来。九点刚过，外面的这一圈椅子就已经快坐满人了。

我找着一张椅子坐了下来，点了一杯杏仁果香味的招牌咖啡 Café Express Flore，店家另给了一杯冰水。我往咖啡里加了少许的糖和牛奶，然后慢慢地端起杯子，轻啜细品。

我抬起头，在这里，我看着别人，也同时被别人看着。

就是这里了，加缪曾经长思驻笔的地方，加缪融入巴黎、又被巴黎放逐的地方。

加缪离开阿尔及利亚定居巴黎后曾多次搬家，但他喜欢选择第五、六、七这几个地处左岸文学及艺术中心的文艺街区，这些地方使加缪靠近巴黎的文化圈并与之相互渗透，他当年就曾在花神咖啡屋和几步之遥的双叟咖啡馆，与法国的文化界学者们探讨文学和哲学，探讨真理和爱。他不知疲倦地进行创作和思考，适合提神的、象征温暖和理性的咖啡自然也少不了。

小雨轻落，秋风拂起的凉意扑面而来。我拉拉薄夹克，突然想起加缪的那张闻名于世的相片。相片中的他叼着烟，脸略微侧向一旁，像一个局外人，像一个荒诞的勇士，像一个永远也不肯老去的英俊男人，含蓄又冷峻。他就那样置身度外地望着整个世界，似笑非笑，既温情又冷漠，既执迷又淡然。额上那几条清晰的皱纹是这张脸中最吸引我的，他是害怕老去而后消逝于无的，他并不竭力掩饰。然而沧桑又算得了什么呢？他连被一个时代放逐都不惧怕。几条皱纹刻画了他坦然泄露自己处于精神疲惫状态时的无所畏惧。毛呢大衣的衣领立了起来，这使他略显神秘。纵观加缪的小说、随笔、戏剧创作以及他所付出的与正义和良知紧紧相依的一生，可以看出，一方面，他对生存这一事实充满希望和热情；另一方面，作为一个清醒的智者，他的孤独与精神上的疲倦都使他成为一个真正的"局外人"。他把自己制作的英雄勋章赠给了反复推动巨石上山的寻常劳作者。尽管他获得了诺贝尔奖，世界依然对他不理解，这也成为他的莫大遗憾。但他始终充满热情，向世界敞开心扉。相片中的他，正是我心中偶像的完美写照：崇高、坚忍、优雅、忧郁。

我想，拍照的那一天，巴黎一定是个有风的日子吧。

咖啡的热度也温暖着我秋风中的手。

从贫穷中长大的加缪并非真的贫穷，他一直拥有阳光和大海。他也喜欢咖啡馆，他说："每到晚间，各咖啡馆灯火通明，那里便是我的避难所。"发出这句感叹时，他已人到中年，而这句话中的咖啡馆位于他魂牵梦系的北非故乡阿尔及尔。身处两个故乡、两种文化，加缪从阳光和轻风中更容易听到忧伤的述说，更容易理解爱应当充满万物初生之时的慈悲。异乡人的身份也成就了伟大的加缪。那一次，他重返年轻时生活过的蒂帕札，在到达目的地前，他问自己："但我在这儿固执地等待什么呢？"

如今，我坐在加缪曾经安静思考和奋笔疾书的地方，我问自己："我又在这里寻找什么呢？"

第一次读到加缪的作品是在大学时。那段时间着迷于法国文学，有个下午，我怀揣着《鼠疫》一书来到学校的芙蓉湖畔，找到一处阴凉的草地坐下，摊开书本读了起来。眼睛累的时候就抬起头，望向芙蓉湖，午后的阳光正映在水面上，微风起时，细浪跳跃，波光闪闪。书中的里厄医生、塔鲁等人物在我心里也如细浪般鲜活起来。大学里的傍晚，我经常和好友结伴从芙蓉湖穿过开满栀子花的小径，到图书馆、映雪或南墙等教学楼去占座位。一路上，无拘无束，伸眉高谈，古今中外，山川之胜。等占好了座，再寻觅一处食堂就餐。晚饭后，徜徉海边，望鸥鸟盘旋不归。天色渐暗时，才去上晚自习。

想起初遇加缪作品的那个阳光午后，想起芙蓉湖和栀子花，想起学生时代的朋友们，我内心很是感动。我和朋友们也曾相约过，要重回母校、重走旧路。当然，那些日子已经逝去，当年的芙蓉湖已经不复存在，芙蓉湖的背后也已建起豪华高楼，成为母校的建筑奇迹。我当日阅读加缪著作之时的风景已经无法重现，纵使风景不变，重回旧地的我也已不是当年的我了。

可我们为什么总是那样的多愁善感！总是希望在人生的某些阶段，回到久别的故乡，回到从前生活过的画面中，我们还虔诚地寻找心中偶像的生活足迹。正因为如此，我才来到这里。

可是，当我在寻找加缪的足迹时，我到底在寻找什么呢？

我在这里，并非只为着普通意义上的情怀吧？我自己也颇为不解：不远万里地来到偶像的故乡，虚拟一条假设存在的时光隧道，并从中释放某种难以言喻的情绪。这仅仅是一种情怀吗？这到底是浪漫还是荒诞？在这里，还找得到加缪和他的对手以及朋友们的影子吗？他们的一切不是都已陷入沉默了吗？

是啊，曾经在这里：巴尔扎克来过，海明威来过，萨特和波伏娃来过，毕加索来过，徐志摩来过，我热爱的杜拉斯也来过。噢，说到杜拉斯，我心里生出了不一样的柔情，她真正的卓越才情只在小说创作中，这一点只怕连她自己都没弄明白呢！那时的思考者，那时的理想主义者，那时的迷惘者，那时的其他顾客，都已不会再出现了。这些座椅已经坐过太多的人，一代又一代。

"你喜欢这咖啡的味道吗？"殷勤的侍者来到跟前，将我的思绪拉了回来。

"喜欢，谢谢。"我说。

"那太好了。你从哪里来的？"他又问。

"多伦多。"我愣了一下，说道。

"那里够冷的。"他同情地耸耸肩。

"是的，多伦多已经入冬了。"我笑了起来。

"嗯，巴黎的冬天不冷，"他自豪地说，"我们有喝不完的咖啡呢。"

"的确，在北美街头，你随处见到咖啡不离手的行人，在巴黎就不一样，街上就没多少人正儿八经地端着咖啡。你们到处都是咖啡馆啊。"我羡慕地告诉他，我喜欢巴黎的慢节奏。

"其实我在中国的故乡比巴黎还暖和，冬天也不冷。"我补充道。

"嗯，现在从中国来的游客和学生都很多。我还没去过中国呢，但我去过多伦多——我有一个表亲在那里。"他说。

他随后对我说了声"请慢用"，就招呼别的客人去了。

你从哪里来？这个简单的问题有时候很像一道闪电。我没说法语，侍者就认为我只是个游客。我又想起不久前，我和久别重逢的小闺蜜在古城故乡的三坊七巷里探访年少时的路。当我无意中发现了我小时候天天上学经过的小巷时，惊喜万分！我写下一首诗描绘自己意外遇见深巷翠竹时的心情：

> 我的赞美如春雨般落到你的身上，你的根上
>
> 很多年来我在寻找南方的温暖中想念着你
>
> 我那充满幻想的心灵，我那粗糙又细腻的心灵
>
> 多少次在梦中亲吻你滴满晨曦露珠的叶
>
> 多少次在冰雪中遇到我饱含臆想的你的影子。

雨还在下。帐篷顶上滑落的雨珠在路面上溅起了小水花。仿佛是莫名的灵感，我眼前浮现出加缪在咖啡馆里的情景。我仿佛看见他低

着头趴在桌上，写了一会字，喝了几口咖啡，就朗读起自己的文字："在一条大街的拐弯处，一滴清澈的露珠落在心灵上，随之便蒸发了，但它的清凉却一直留在心头。正是这滴露珠，是心灵永远需要的。我必须重新出发。"这是他重返蒂帕札时写的。啊，温暖的加缪！每一滴心灵的露珠都不会蒸发成空！它见证了伟大心灵的从不停息的探险，不断地重新思考，重新认识自身以及这个世界。

我们多愁善感地行走在人世的颠簸与无意中，我们见过辽阔的沙漠和大海，见过神秘的森林和小鸟，见过百花盛开，见过爱和泪填满人世的空虚！我们还听过落叶纷飞、河水奔流，可我们却不曾见过自己出生之时的天空。自从我们呱呱落地，寻找就已经开始了。寻找未知和真理，寻找最重要的隶属于生命的启示和体验，寻找上苍神秘又刚强的魔力。

寻找我们未曾见过的生命初至之时的天空。

这是一个漫长的漂泊过程，所有回忆中翻开的往事，所有对未来的渴望，都通过此刻相互依存。对当下的爱惜，对生的热爱，加缪发出了最漂亮的宣言："对未来真正的慷慨，是把一切都献给现在。"这是美德，是勇敢，是最伟大的爱，接受现实又改变现实的力量由此而产生，而加缪可不是那种只为少数人活着的人。我知道，在我与他人相同又不相同的寻找中，加缪就像一座灯塔，他的作品和精神早已融入我的灵魂深处，成为我贴心又温暖的人生游伴。

我听着帐篷顶上滴答的声音，在雨珠和沉静中，我不期然地找到了想寻找的东西。

我离开花神咖啡馆的时候，室内的人们依然在灯光明亮处谈论着一切。那里面，顾客的声音和思考是最重要的，这是一个没有音乐声环绕的咖啡馆，思考者的灵魂也赋予了热巧克力永恒的温度，而加缪、萨特以及一众法国学者相互理解和决裂时所发出的笑声和叹息声，依然回荡在四周的空气中。

41

敞亮而光明的咖啡馆内外，我和巴黎人度过了一个秋日的早晨。

——发表于 2019 年 2 月 11 日北美《侨报》"文学时代"

不在场的爱

荷兰这个国家真是一座传说中的世外桃源。记得几年前自驾游到达荷兰时，正值秋天，惊讶于它童话般的美丽，遗憾的是，错过了郁金香盛开时的胜景。可我感觉得到，空气中始终散发出一缕幽香，那大概正是荷兰的气息，与郁金香很像。

加拿大的首都渥太华每年五月都要举办国际郁金香节，人潮如涌，热闹非凡。那些郁金香皆为荷兰皇室所赠。为了感谢加拿大人在第二次世界大战期间对来渥太华避难的荷兰公主的帮助，荷兰在战后向加拿大赠送了十万株郁金香。如此说来，渥太华的郁金香当然也是一朵患难与共的友谊之花。我和家人曾经徜徉于那时的花海如画。在城里绕来绕去，再绕到国会山庄一带，到处都闪烁着初春的火焰，姹紫嫣红的花儿伸展着婀娜的身姿，绽出胭脂一般的明艳色彩，搅得路人无不旌摇曳，这妩媚的春，这幸福的花！这么多的私语和凝视，这么多的靠近！这燃烧的爱，好像永远也不想入睡……

今天无意中看到一组网络相片，很美。有一位摄影师以独特的视角拍下荷兰的库肯霍夫花园。偌大的花园空无一人，繁花似锦。可惜原文未能注明摄影师的名字。

相片中那些灿若彩虹的郁金香，风姿绰约，孤芳自赏，静默如神。那也是一种静中的动——一种填满幻想的激情。每一片花瓣，每一簇花丛，都聚集着爱与幻想。

在大自然变得如此冷清的时刻，这样的美令人感动，但我难以想到那些常用的形容词，什么妖娆啦，什么绚丽啦，我想到了别的东西。

因为新冠疫情，该公园七十一年来首次关门谢客，将渴盼靠近的心阻挡在外。是啊，这真是前所未有，前所未有的不止关门、关店，还有人们内心所经受的难以言传的东西。不止如此！有些美，原以为触手可及，但人们却在拖拉中错过季节，比如市区的樱花。有些距离，原以为只是距离罢了，后来才知道，那些沉默是真的只剩了沉默。

有些倔强是天性中无法改变的天真与感伤。我们靠近一朵花、一棵草，都需要心灵的泉水。如果仅仅感叹流水绿、落花红，如果仅仅知道花开必有花谢，那我们就只瞧见了四季的车轮。而转动着的四季车轮正在碾过历史与记忆，等待我们靠近它的沉重步履。

有一些东西难以放弃。

譬如理想，譬如库肯霍夫花园的满园芬芳。这种美并非只有造化之神奇，并非只有瑰丽，你我或许都曾努力地浇灌过花草树木，但难以浇出如此翡翠般的绿、如此彩虹般的华美。有些滴血的执着，只有倾注过深爱的人才会懂。就拿渥太华的郁金香来说吧，加拿大与荷兰的友谊固然令人感动，但真正成就美的，是看不见的园丁与花儿之爱。

当然，如今的库肯霍夫花园显得过于冷清，在无人驻足的此时此刻，似锦流年该如何向这些花儿解释人间的悲苦？但世人又怎知郁金香的心思？她们真会在乎游人如织时的盛况吗？

无人注视的郁金香，只有园丁的爱依然在场，芬芳也依然漂浮在那里。

世人看到那些花儿往日里万众瞩目，便以为她如今定然落寞，殊不知她的兀自芬芳、兀自盛开，从来都不为人声喧哗。有一种彼此成就，是生命之花的怒放。

我不由得想起了另外一些园丁，他们活着时见不到他们等待的生命之"花"。比如：谭嗣同、秋瑾、遇罗克、林昭、张志新、刘晓波……这个名单还可以列得很长。他们的信仰无关私利，只关乎权利。他们播下的种子改变了土壤的性质和温度，塑造了后来人的崭新灵魂。无论时间怎么旋转，温热的血总在提醒世界，有一些温热的人曾经守护过春天。他们的了不起不单在于彼时彼刻，还在于逝去之后的每时每刻。死去，又复活。他们何曾离开过？

他们的存在印证了神迹，印证了灵魂的美丽，如果没有美丽的灵魂，人间就没有一座真正的"花园"。

还有一些园丁并没有以死明志，但他们的人生目标只为了培育一朵艺术之"花"。萧红去世前曾经哀叹道："我将与蓝天碧水共处，留得半部'红楼'给别人写了。"她的一生够难堪的了，所爱非所需，所需非所爱，为穷所困，受尽白眼，甚至把自己与恋人所生的孩子送人，撒手不管，她大概以为，这才是给孩子留一条活路吧！可是这样的怯弱与遗弃怎么能算是爱呢！她是那样的狠心，那样的无可奈何！时代和个人的境遇像一座山，压得她一筹莫展，对于一切决断，她都只剩了逃避与任性。但她在文字上的天分又是显而易见的，她在临终前的这番叹息也真实道说了优秀创造者的肺腑之言。

所有才华横溢的艺术家都希望留下"花香"，对于他们而言，时间永远不够，即使活上一千年也无法满足其创作欲，至于说，世人能不能发现并爱上这朵"花"，倒在于其次，他们心中的满腔话语，零星的也好，绵密的也好，都需要化作瑰丽的歌声，唱出来。他们需要将这朵"花"雕刻成型。那破碎又圆满的尘世之心啊，需要装点那一道乳白色的漫漫星河。连风都懂得哭泣和追梦，人怎么可能不懂？

普鲁斯特的一生只成就了一部大书，他在生命的终点还在呕心沥血，一部"意志缺失"的《追忆似水年华》留给后人一朵美轮美奂的"词语之花"。我们可能很难理解他的琐碎和情绪，我们甚至从时代认知中不难挑出他的破绽。那些源自旧时代的、并对浮华人生表象斤斤计较的热情，真的有意义吗？究竟什么样的贵族才是真正的贵族？

什么样的爱情才是真正的爱情？我们可能难以从书中找到答案。然而，没有一本书能够让我们完全满意，正如没有一朵"花"能够让艺术家们完全满意。他们穷尽一生哺育心中之"花"，谁也无法掠夺他们的意志和梦想。他们对后世名声一无所知、一无所求，他们就是无法忍受别的生存方式，只喜欢穷尽能量罢了。

这样的园丁与"花儿"之爱，实在太亲密了！园丁已随时间离去，"花"却留了下来。只有懂"花"的后世之人，才能在心灵中靠近那些已经不在场的园丁，那些经爱与理解"嗅"过的芬芳，才是至美的芬芳。

——写于 2020 年 5 月

另一种乡愁

自从地球上有了人，世界就变得不一样了。人们看到各种各样的景致、现象，就有了各种各样的想法。什么时候花开了，什么时候花谢了？为什么人有时候高兴得像一个孩子，有时候又伤心得像一具垂死的躯壳？

人们想到，个人的命运太微不足道，需要寻找另一种方式放大它。文学因此产生了，人们尝试用语言描绘自己眼中的世界。

然而，仅仅描绘还不够，为什么作为宇宙一颗"尘埃"的人会有那么丰富的情感？为什么这一颗"尘埃"在有限的人生旅途中那么渴望描述一切？人从哪里来，又到哪里去？有与无之间，实与虚之间，人这一生究竟获得了什么？

这个世界需要解释。

一些聪明的大脑开始对这些纯粹问题进行艰苦卓绝的思辨。没有什么东西从一开始起就是偶然，孤独的星辰总是在夜空闪耀，忍冬的玫瑰总是忘不了它的寒日绽放……

这些聪明的大脑主动寻找精神山谷的悬崖所在。他们不惧怕流言和诅咒，那真的不算什么，他们连被一个时代放逐都毫不畏惧……凡是他们目力所及的、心力所至的，无论是世俗日子的纠缠还是仰望星空的觉悟，处处都有值得把握、值得探究的生活。即使孑然一身，他们也不忘以火热的心肠向往全天下的幸福。这条路不通了就换一条，或者重新清理、再造这一条路。追问本原，确立自由，这不应是每一个个体与命运女神所订立的不朽合约吗？

这些大脑宁可从世界上消失，也不肯放弃思考的自由。栖居于众人眼中的无意义，他们寻找说服世界、说服自己的一切意义，他们对这个世界深藏的爱，就在一生一世的行走中，哪怕他们的脚步只是循环往复地踩踏在同一条街上。

从此，哲学产生了，人不再只是一颗尘埃。

而故乡与哲学又有什么关联？"故乡"作为一个概念，相对于"他乡"而存在着，有的思想者也将心灵重生之处比喻为人真正的"出生地"，意即精神上的故乡。

人们离开出生时的故乡，渐行渐远，却又无法不频频回首。一声竹笛的脆鸣，一声大雁的忧叹，游子的天涯海角也在故乡。

我们已经知道：哲学的返乡之旅并不意味着懂了哲学就可以回到儿时生活过的那片竹林；也不意味着懂了哲学，就可以在出生地故乡遇见初生之时的那片天空。

在交通发达的现代社会，人们买张机票或者火车票就可以回到久违的故乡，这个路途算不上千辛万苦，而哲学上的返乡却艰难得多。因为它是思的旅程，是在思与寻的过程中接近"万乐之源"的旅程，这也是宇宙理性赐予人类的原始祝福，故乡的最纯粹之处就在于它与这种"本源"在诗意上的无限接近。

即使是那些离开故土后再也没有返乡的人，也会在心灵的高墙上悬挂一朵故乡的花，也会在异乡的泥土中闻见一股曾经吞进肚里的旧日幽香。就算哪天故乡变了，变得面目全非，变得陌生，那又有什么关系呢。我们的记忆和文字定然留得住最初的芬芳，我们有能力把握心中所爱。

使故乡走向死亡的，不是故乡本身，而是我们的心。就像语言，哪一种有生命力的语言会轻易死去？思想不可能死去。令人心寒的，永远都不是"故乡"这个词，而是我们不能守护这个词的圣洁、明亮。为了这份纯洁，我们不应该成为坏词、腐朽之词的奴隶，我们应当学会拒绝，拒绝在被强力所改造的词语中失去"故乡"。

因而，哲学是超越一切学科的纯粹之思，故乡是超越一切世俗的纯粹之爱。唯有从这样的纯粹视角上体验故乡的美，我们才会感到故乡玄妙如禅、安稳如磐。静寂如群山，轰鸣如惊雷，故乡总是让人忍不住地想歌咏这样的心绪：一种寻找源始、寻找自我的心绪，这便是乡愁的来处了。

——原文《哲学与故乡》写于 2018 年 9 月，修改于 2020
年 9 月并更改标题为《另一种乡愁》

不一样的园丁

启蒙这件事，效果不像我们在庭院里种花种草那么立竿见影。有时候，种子埋进地里，一百年都开不出花，结不出果。

可我们若是坚持花费一点心血，就可以在庭院里见到不一样的景色。多浇水施肥，草会更绿，花会更艳，树会长得更高。风信子，水仙花，郁金香，海棠花，芍药，玫瑰花，渐次开放。木兰树，梨树，丁香树，玉树琼枝，宛若星云下凡。春夏的院子繁花似锦，绿草成茵。作为园丁，我们在第一朵番红花开放时看到大地复苏，冬去春来。付出的有了回报，满园的姹紫嫣红在春夏之交唱起了歌谣。即使在严冬时节，耐寒的玫瑰也会在棉花般洁白的冬雪中吐露芳华。我们用滚烫的心注视着攀援在拱形铁架上的爬藤玫瑰，那可不是梦中的情形！那清雅的芬芳，丰腴的花型，那带刺的藤枝嫩叶！那全是我们亲自打造并获得喘息的休憩之所啊！

然而，世界上有一种园丁却没有如此幸运。

他们已成历史。

他们亲手播下的种子埋在看不见的地里，他们浇灌种子的水流渗出一滴又一滴的鲜血。他们不是英雄，不是战神，不是手握浇水壶就可以站在花园里等待花开的人。事实上，他们中的大多数穷尽一生，甚至不惜以滴血的牺牲为代价，也无法等到花开，就连种子发芽的瞬间惊喜也无缘见到。在生的无奈和局限中，这些不一样的园丁悬着心、流着汗，雕刻梦中的理想之"花"、存在之"花"。他们活着时吸引不了庸俗的人，他们只是凭着爱，去爱。

启蒙在法语中的原义，即为"光"。光，源于太阳。太阳照到的地方，有光，有明亮的感受。因而，启蒙就有带来光的意思。启蒙也意味着继承。时光荏苒，人聚人散，从一个人到另一个人，从一群人到另一群人，从一代人到另一代人，光透过爱，透过山川湖泊，透过千年巷陌和百年古树，向世人撒满金色的祝福。柏拉图大概是这世界上最忠诚的学生了吧！对一位不同凡响的老师的终极之爱恰恰在于理解，而后才是继承，继承为师者无与伦比的勇气，而非声名。柏拉图记录了他的老师苏格拉底的辩护词，在人类的精神探索中，苏格拉底之死投射给历史的影像，不仅有甘为真理而死的感人画面，而且还有一道无限延伸的亮光留给在黑暗中摸爬的人。这位古希腊哲学家很倔，对世俗享乐漠不关心，只用智慧服侍真理，他不停地问，不停地推敲、启发、辩论，最后因言获罪。这位一直仰望星空的哲学家如果服罪，本可以免于一死，但他拒绝了。他说，要么无罪释放，要么死。他在最后的申辩中说："离开的时候已经到了。我去死，你们去活，我们谁的命运更好，只有神知道。"那时候，现代文明的种子还等着发芽、开花。苏格拉底看出雅典民主制存在的现实问题，希望唤醒雅典人的良知，维护法的尊严。他死于合"法"却冷酷的判决，他以从容赴死的决断，完成了一位哲学家对真理的坚守。他没有任何遗憾，离开的，只是疲倦的肉体，心灵将永远飞翔。

关于苏格拉底，还有一个与花园有关的故事引人入胜。达蒙·扬写过一本《应向花园安放灵魂》的书，介绍几位历史人物与大自然的关系。在《苏格拉底：城门口的陌生人》这篇文章中，达蒙写了对大自然没兴趣的苏格拉底到达城外时的抒情一幕："于苏格拉底而言，树林的美就像一个诱饵，引人遐想与冥思。裴多说，苏格拉底就像一个穿过城门的'陌生人'，第一次看到自己的城市。换言之，树林的边界鼓励着人们改变自己的想法。哲学家要做的，就是带着这种独特的感受性和敏感度，重新去审视世界。"一个什么样的树林才是造物主的恩赐？一个什么样的世界才是完美的？一颗什么样的心灵才是安稳的？真理与美一样，意味着人对未知和陌异的探究，它考验人的想象力和智识，只有敢于靠近，敢于想象，它才愿意灿然现身。

苏格拉底当然是人类文明史上最早的启蒙者之一，他的心上没有尘埃，只有爱。他的名字与真理连在一起。

如果说，我们不知道真理的样貌，我们至少应该知道，真理作为一个抽象概念，只关注整体意义上的人的幸福，更好的生活，更好的人。什么样的生活才是更好的生活？苏格拉底早已说过，未经审视的人生是不值得过的。他的死否定了通常意义上的"苟活"，换句话说，无论苏格拉底之死有怎样的时代未解之惑，它都是哲学家对"什么样的人生才值得过"这一疑问的最直截了当的回答，它既是宣言，也是选择；既是理论，也是行动。他不是命运的逃脱者，他的滔滔不绝与大自然的四季胜景一样美妙，多少世纪过去了，哪里有对苏格拉底的爱，哪里就有对真理的爱。他从未离开。

与苏格拉底之死所隐含的深义相对立的，是另外一种生活方式，即"活着就是胜利"的忍受。死去难以忍受，难以想象，所以最要紧的便是活着。为了"活着"的最高目标，一切都可以忍受，哪怕尊严被剥夺得一干二净。事实上，中国难以产生像苏格拉底那样不断激励社会进行真理辩论的卓越人物，是因为长期的皇权专制将文化和文化人都"收归"到皇权手中，为其服务，就连宗教信仰也难逃皇权钳制。程朱理学所提倡的"存天理，灭人欲"，形象地解说了皇权专制下的个体"待遇"，即个体实际上没有任何"待遇"。人的正常欲望都被消灭，还能有什么乐子呢！"天理"实际上与后来的世界各个文明体系共同接纳的普世价值并无关系，普世价值强调的是基本人权，而皇权专制下的"天道"强调的只是皇帝的"天理"罢了。普天之下，莫非王土。被辖制的王土，被辖制的个体，精神处于昏迷状态，语言处于枯竭状态，一个民族渐渐失去了内在生机——枯了。到了上个世纪的文化大革命时期，毛泽东及其跟随者"发动群众"，以意识形态革命为"制胜法宝"，号召民众在"无产阶级专政"下继续革命。文革中的阶级划分、阶级斗争将兵家法家中的整人治人的极端权术以及程朱理学"灭人欲"的残忍一面结合在一起，抛弃了传统文化中趋善讲爱的那一面，只将带有破坏性的一面发挥到极致……那时，被要求"重新做人"的个体不再是有独立个体意识的"自我"，而只是一个阶级符号。整个社会陷入停滞，人们远离思考和现代文明，只知道爱抽象的国家和政党，不知道爱身边的具体的人。人与人之间失去信任，告密成风，人人自危，一切杀戮和迫害都以"保卫毛主席"的名义合"法"地进行。

要想长期让一个国家、一个民族保持如此疯狂、如此愚昧的状态，何其难也！唯一的办法只有堵住人们的嘴，进而堵塞人们的思考通道，所以当权者最怕观念的革新和思想的启蒙。他们用尽一切办法诋毁、中伤从事灵魂教育事业的人们，希望向世界传播这样的观点：人性只能配享奴役，如果你们"爬"到我们这个位置，你们就会知道，我们对他们的奴役是多么必要，来吧，一起举起鞭子吧……

他们还靠着御用之人和软弱之徒，故意用歪曲的笔墨将文化人描摹成统一的形象，在那样统一的五官和心灵构造中，没有任何一双眼睛值得凝视，没有任何一颗心灵值得敬爱，没有任何一种精神值得景仰。没有灵魂，没有信仰。

他们要人们相信，快看啦，这就是人性！你们千万不要因为不在我们这个"位置"就反对我们，一旦你们处在我们的"位置"上，你们就是我们……

这样的邪恶逻辑试图将所有人都卷入邪恶。然而，只有不动脑筋的傻子才会相信这些伪逻辑，这是不折不扣的谎言，尽管有太多人一直在传播。历史的云朵从来没有停止过它的漂浮，抬头看一看星空吧！如果此类邪恶逻辑能够成立，那人类文明早就完蛋了！古往今来，古今中外，有多少人宁要一句真话、一个真相，也不肯为了一时的荣华富贵而去配合强权、强力。勇者智者的心里一直忘不了道德和公义。无论处于多么邪恶的年代，总有值得人们留恋的善与坚守。如今，世界上的大多数国家都已经走进了宪政民主的大道，尽管现代文明框架下的新问题还在不断考验人类的智慧，但个体的真实和自由在这些国家已经不再成为难题。西式开放文化较之东方半封闭文化的一个重要特点，就在于它独有的疏导性，基于对自由和尊严的捍卫，它选择在不断辩论、不断完善的制度建设中疏导社会矛盾，从而将社会动乱的可能性降到一个较低水平上，思想并非洪水猛兽，新观念也绝非洪水猛兽。然而，在崇奉皇权专制的地方，只要"皇上"担心失权，整个社会就沦为"战场"，只有把所有人都拉入"人整人"的境地，"皇上"才可以多"专政"几天。遗憾的是，中华民族的苦难至今都没有结束，"一党专政"的制度依然在要求民众"配合"。

写到这里，我想起了一位女诗人，她远没有苏格拉底那样的名声，即使在她的故乡，也没有太多人熟知她的名字，更遑论她的故事了。她也承担了"因言获罪"的悲剧命运，她反复地被捕入狱，与那个时代的许多人一样。与苏格拉底的情形一样，只要认罪，她就可以免于一死，但她选择了宁死不屈。狱中信了基督教的她，坚信自己是上帝选中的殉道者。她用鲜血和发夹写下了数十万字的血书，批判极权暴政，诉说公民理想。那些文采斐然的文字既有对爱与生的留恋，也有对自由与权利的思考，她对极权本质的洞察远远领先于同时代人。岂止只是同时代人？现在的中国，老百姓为了不招惹麻烦，对各级政府、有关部门以"抗疫"为由无端侵犯个人权利的种种侵权措施（比如强制隔离、转运、入户消杀、全民核酸检测等），只有"乖乖地"服从。在民众对自身人权被侵犯却无所意识的主动"配合"中，他们可曾考虑过自己早已在"配合"中失去了人的基本尊严和权利？

写血书的这位女诗人在接到死刑判决书后，给世界留下了最后一封血书："历史将宣告我无罪"。

……

她相信历史，相信历史将宣告她无罪。

她将温热的鲜血化作滋养真理之花的水滴，润泽她为之献身的热土。她笑着，唱着，奔向未来。她的血肉之躯留给了那个罪恶年代，而她的灵魂却突围而出，她居然就一直保留着那么年轻的容貌！

她叫林昭，上海高院一直到 1981 年才宣判她无罪。即使在暗无天日的文革时期，即使在一个失去理智和尊严的历史阶段，中华民族也有过光，有过值得后来人肃然凝视的天使般的面容。这些美丽的面容透射出优雅之极的生命之光。原来，这世界上的启蒙者，既有像苏格拉底那样从容赴死的哲学家，也有柔弱如林昭那样的女诗人。林昭在狱中写下许多富有冲击力的诗歌，其中有一首《献给检察官的玫瑰花》写得相当克制：

向你们，

我的检察官阁下，

恭敬地献上一朵玫瑰花。

这是最有礼貌的抗议，

无声无息，

温和而又文雅。

人血不是水，滔滔流成河

一首催人泪下的诗，却又淡然得像在讥讽一件很小的偶发事件。我看过林昭的诗作，她懂得在文字中掀起巨浪，如果她活下来，一定还会写出更多惊人的诗句。然而，她早已被枪决，"组织"上还派人到她家里索取"子弹费"，埋葬她几缕头发的方寸之地成为一片带"罪"的土地。她的母亲遭此一劫，精神失常，自杀身亡。

我不由自主地想起林昭，更因为直到今天，人们都无法公开纪念她。这是怎样的一种病态的压制和恐惧？如果还不肯承认这一点，那么，"反右"以及文革中的千千万万同胞的死，就都是白死了，而林昭所信任的"历史"和"未来的人们"不过就是一股虚无的空气罢了。

我写下这篇文章，仅仅是为了纪念林昭——那个美丽的苏南女子，一位纯粹的知识分子。

——写于 2021 年 4 月

秋风秋雨愁煞人

——写在辛亥革命 110 周年之际

"秋风秋雨愁煞人"。

1907 年，秋瑾被捕。清末山阴县令李钟岳在狱中提审秋瑾时，女英雄以清代诗人陶宗亮的这句名诗作为口供，难掩悲愤、哀痛。

李钟岳在此之前已经竭尽全力地帮助秋瑾和其他反清义士。能通风报信的，就通风报信；能不抄家的，就不抄家。遗憾的是，他无法违抗上级步步紧逼的"追杀令"，未能救下女侠。秋瑾就义后，李钟岳因"包庇"革命党人而被革职。回乡后，他对秋瑾之死依然耿耿于怀，经常呆坐许久，苦思冥想，并不时地取出私藏的秋瑾"口供"字帖，口中念念有词，神情恍惚，这样撕心裂肺的日子怎堪承受？他脑海里闪过的记忆——摧毁了他，他忘不了一些时刻。他在妥善安顿家人后，毅然悬梁自尽，"义殉"秋瑾。此时距女侠之死，不过数月。据说，当他将行刑决定告知秋瑾时，泪如雨下，秋瑾反倒安慰他，不必过于伤心。

人生自古谁无死。

秋瑾决意为唤醒民众而死，围观她的死刑的民众并未如她所愿，被唤醒。鲁迅先生在小说《药》中对此有典型的文学描写，影射了女侠之死的"无意义"。

那样的人间，那样的一群人，真的值吗？真的值得为那群人而死吗？

作为一位目光敏锐的作家，鲁迅对于"国民性"的批判不可谓不透彻，阿Q，祥林嫂，孔乙己，赵老爷，涓生……哪一个不是活脱脱的典型中国人的形象？先生的洞察和悲观简直叫人"不忍卒读"。

无望的人间，地狱般的沦陷，没富起来的想造反，没掌权的想夺权，没纳妾的想纳妾……人性的暗黑似乎可以将所有人捆绑在一起，共赴恶的深渊，既然人人都可以只为了私利而置尊严于不顾，既然人人皆恶，那么，"我的恶"又算得了什么！如此一来，所有人的恶就都情有可原了。时代洪流中的个人无能为力，只有化作"尘埃"和"蝼蚁"活下去！只要能活下去，就可以不择手段，甚至还可以拍拍胸脯，得意地说："活着就是胜利！不必问为什么，这就是命呗。"

然而，这并非全部的事实，这世上还有不一样的中国人。他们不甘心像鲁迅先生笔下的人那样，麻木不仁地活着。鲁迅先生的同乡秋女侠就与先生笔下那些只配享奴役的可有可无之人有着天壤之别。

秋瑾和同时代那些渴望推翻清朝的义士们，有不少人都成长于官宦、富豪之家，家境殷实，非富即"贵"。与出生于穷乡僻地的同龄人相比，他们有更多看见世界、重读历史的机会。他们本可以像别人那样为家族挣更多的金条、攒更厚的官帽，他们本可以摒弃理想、寻欢作乐，但他们没有。每天，他们都渴望改变，就像一个心怀爱意的园丁，撒下种子，等待来年的花和果，那样牵肠挂肚的守望，等啊等啊，哪怕等来的，只是遭人耻笑的一无所获。他们对改变社会和改良制度的热情，不为私利，只为所有人的权利。这些平日里喜欢舞文弄墨的热血青年，如果安心做官、努力赚钱，非但不会赴死，还可能活得挺"风光"。

然而，人一旦闻到了自由的气息，怎舍得放弃？

中国人谈起辛亥革命，很难不想到宋教仁之死，一个最熟悉代议制和现代国家宪法的党领死于被暗杀，断送了当时最有活力的一次实现民主的机会，令人扼腕长叹。而秋瑾的梦也不难理解，她追求婚姻的自主和个体的自由。她创办学堂和报纸，为女性争取受教育权和话语权。她希望清政府垮台，国家走向真正的共和，没有"皇帝"，人人平等，如同她热爱的宋教仁所期盼的那样，在真正的共和体制中，国家逐步走向现代文明。

与秋瑾之死相比，山阴县令李钟岳之死很少被提及。他可以不死吗？当然可以，他执行工作任务而已。世上的冤假错案那么多，连追责都难，有谁因为误判了一个人的罪而公开道歉吗？更别提自杀了。

李钟岳仅仅为了良心而死，他过不了自己那一关。他在沉闷乏味的官场生活中听说了秋瑾的故事，秋瑾能文能武，胆识过人，引领新的时代风尚。李钟岳对这位优雅女子的才情和事业产生了向往之心，那一种敞亮和通透的感觉从未有过。细究起来，在收到抓捕秋瑾的命令之后，李钟岳在保护秋瑾及那些读书人的过程中，已经置乌纱帽和性命于危险中，然而造化弄人，他这个知书达理的县令却又事实上成为死刑命令的执行者。难道就没有别的办法了？他痛恨自己人微言轻，无法刀下留人，因而备受精神折磨，直到不再恋世。

秋瑾为麻木的看客而死，事实上，鲁迅先生笔下的人物至今都尚未"死"去，秋瑾心中祝福的人们或许还没有听说过她的名字和死因，她就那么从容地赴死——为了记住和忘记她的人，她对他们的祝福曾经充满希望。李钟岳则因秋瑾而死，他为自己间接杀了女侠而失去了生的意志，他虽然没有说出什么大话，但是他死得颇为英勇，令人想起古代的侠义之士。到了那个世界，他们能否相认，一起看落叶追风？他们的死，各有理由，各有归宿。

对于有的心灵来说，"如何活着"远比"活着"重要，他们不会追问，也不忍追问，到底那一切值不值。这世上，总有一些人，从来只看重生命的质地。

秋瑾和李钟岳，这两位本可以向旧制度妥协而"活"下去的理想主义者，这两位精通诗书的知识分子，在清王朝覆灭前给历史留下了两道划过夜空的闪电。他们的生命已随那一年的风雨而去，他们的梦还在夜空飘摇。

只有静默的秋，年年归来。

——写于 2021 年秋，发表于芦苇《华人头条》"华人号"

谁是边缘人

我坐在屋里，看着雪花落在常绿的黄杨木上。想到多年前刚搬来时，一遇到下雪就准备好胡萝卜和宽边帽，堆雪人，揉雪球，玩滑板。那时候对加拿大、对雪都充满新奇和幻想。这些天的雪下得特别勤，白花花的，厚厚的，软绵绵的，从小喜欢冰上运动的女儿干脆买了滑雪季票，有时一周要去三四个晚上。

妈妈，溜冰场又开了，我要去花样滑冰。好吧，去玩吧，小心保持"社交距离"就行，滑雪呢，也还要去吗？要去的，放心吧，mother！我们溜冰时，本来就要跟别人保持距离的！滑雪也一样，我们只追速度，又不追人……

回想起来，在疫情之前陪女儿滑雪真是一种享受。哪怕我只是将双手缩进口袋，沿着雪林闲逛，也能找到很多乐子：忽然间就进入一种辽阔的状态，仿佛自己正处于某种热闹场景的"边缘之地"，雪光和夜场的射灯照耀着雪道上飞奔的矫健身影，照耀着我、围栏和前方的脚印，宁静而欢欣，这不正是我所喜欢的夜行吗？

可这两年，来滑雪场的感觉变得有点不同，空气中飘进一些看不见的"颗粒"，限制了我的自由和这些微小的乐趣。

恼人的"社交距离"，以及与它紧紧相连的纸质证件——"疫苗护照"，令人深感无奈。而由此种"常态"所引发的社会危机在这个冬天比大雪更"引人瞩目"。这几天，加拿大卡车司机反对"疫苗护照"的维权活动引起全世界的关注，也得到很多加拿大民众和其他国家民众的声援。自从疫情开始，加拿大的应对措施也一直在调整。"疫苗护照"作为有争议的手段，从一开始的"犹抱琵琶半遮面"到后来的"板上定钉"，速度之快，力度之大，令很多人还来不及细究，就已经匆忙接受。这也难怪，谁都不想丢工作、无法上学或是去不了图书馆、餐馆、健身房等，而且，人们对疫苗数据、临床试验详情以及全新的疫苗技术等，全都懵懵懂懂的，为了生活的便利，跟着感觉走呗。特鲁多总理不希望看到人们的犹豫不决，有意压制不同的声音。当然啦，加拿大的"疫苗护照"还仅仅限定于"非必需的"场所，换句话说，在人们生存所必需的食品店、药品店、医院、理疗机构、银行以及其他一些特定场所，都不需要出示"疫苗护照"。

即便如此，也已经是一件前所未有的大事了。

不打疫苗的人成为事实上受到歧视的人，无法顺利进入工作场所，无法进入很多非生存必需的生活场所，无法乘坐飞机，无法前往一些区域探望亲人、朋友。布莱恩·佩克福德是《加拿大权利和自由宪章》的起草人之一，他近日起诉政府的"强制疫苗令"违宪，认为其违反了《宪章》第六条，该条款保障加拿大人在国内的移动性以及"进入、留在和离开加拿大的权利。"布莱恩还强调说："政府在限制个人权利和自由领域进行的行动越来越多……如果我们这次不能赢得并（确保）宪法和宪章得到尊重，这将开创一个先例，这将从此削弱宪章的权力。这是对我们个人权利和自由的侵蚀。"

新冠肺炎疫情来势汹汹，各省考虑到医院可能面临的医疗挤兑，或多或少地采取了一些"限制措施"。戴口罩成为大家乐意采取的防疫措施，各种个性化的舒适口罩也在网上热销。接种疫苗比戴口罩麻烦多了，尤其是随着病毒的不断变异，关于疫苗的作用和副作用，关于疫苗的有效性等，存在针锋相对的看法。"疫苗护照"的强制因而成为一起权利事件，而非公共卫生事件——如同以前的感冒疫苗接种那样。

市民针对限制措施的各种抗议活动，从两年多前开始至今，从未间断过，因而，这一次卡车司机的大规模抗议活动在我看来也就是一个普通的维权活动，甚至它演变为反对"限制令"的抗议活动也没有令我深感惊讶，毕竟，这是个言论自由的国家，谁都有权说出自己的想法，嚷嚷几声。一个人可以相信疫苗有效，但如果接种疫苗成为变相的强制，人们觉得权利受损就情有可原。就像那些卡车司机，如若未打疫苗便难以入境自己的国家，这就影响到很多人的职业安全和个人自由，他们的"大声嚷嚷"并非不可理解。抗议者中既有拒绝接种疫苗的人，也有已经接种了疫苗的人，还有很多人声称，他们不反对疫苗接种，只反对强制。这很容易理解。

真正令我感到惊讶的，是曾经希望启动"战时紧急法案"抗疫的特鲁多总理，他将卡车司机称为"少数边缘人"。于是，抗议活动增加了一个新词：边缘人，诸如"我们就是少数边缘人""我们甘当边缘人"之类的横幅立即出现在渥太华街头，红遍网络，美国和加拿大的一些人穿起印有"边缘人"字样的服装，用起刻有"少数边缘人"字样的水杯。还有一些游行横幅上写着："我们来自极权国家，如今我们只愿意死于自由的选择。"

卡车司机的维权活动还在严寒中继续，加拿大人没有"立春"的概念，当洛杉矶的朋友在院子里畅享桃花盛开的美景时，我们还在呆望着白雪，遥望春天。那些街头游行的人不顾天色已晚，不惧大雪纷飞，嘴里呼出热气，脸上带着笑容，呼唤对话和理解，但也有一些不忍卒读的横幅……有个别市民因为噪音问题起诉游行者，也有一些对疫苗有信心的热心市民不辞辛劳地赶到现场，进行"科普"宣传。人们对这一切司空见惯，只需要提前关注交通状况就行。

问题在于，究竟谁是"边缘人"？连任的特鲁多总理底气十足，他在央求选民"表现好"的同时，希望选民服从。他的口不择言或许在于政客心中的小算盘，既然全国有百分之八十以上的人打了疫苗，我把那些不打疫苗的人贬损一番，也铁定不会得罪"基本盘"，说不定很多人心中正在窃喜呢！对于选民来说，事情就不是如此简单了。个人和群体的利益并非"铁板一块"，在这件事上，你和"这一群人"想法一致，但在另一件事上，你和"这一群人"话不投机，和

"另一群人"相见恨晚，这日常生活可不是只有"疫苗护照"这个事，还有很多别的关注点。今天，你沾沾自喜于自己的"多数人"位置，明天，你就要面对自己的"少数人"位置。

在加拿大的阳光下，在这片美丽国土的海洋和陆地上，我们可以自由地呼吸，我有几位喜欢摄影的朋友到加拿大旅游一圈后，都告诉我，这是世界上最美丽、最自由的国家，我也同意。可是这美丽和自由都需要维护，需要百分之百的加拿大人的维护。当然啦，无论同不同意"疫苗护照"，无论喜不喜欢特鲁多，加拿大人都很清楚，卡车司机有抗议的权利。特鲁多的言论之所以让我感到惊讶，是因为他拿人口比例说事，拿"国家和集体"说事，拿"大多数人"的选择来嘲笑"少数人"。这根本上依然与"权利"有关。权利意识必须是绝对的，一个人的权利不小于一个国家的权利。记不清哪位哲学家（莱布尼茨？）曾经说过，整个人类的灵魂都比不上一个人的灵魂重要。哲学家想要阐述的，正是个体灵魂的多样性以及个体真实的重要性。当一个传染病突然以无法溯源的方式袭击世界时，人们既担心又害怕，就不知不觉地忽略了"权利"的呼叫声。满世界都在忙着"驱毒"，"权力"也趁机"多集一点权"，哪有空琢磨更多呢！人们为了私心，为了"安全"，很可能对侵犯自己、邻人以及他人权利之事，"睁一只眼闭一只眼"。

如果"边缘"对应于"中心"，"少数"对应于"多数"，那么"边缘人"的所思所想是否只能被称作"边缘意识"？而"中心意识"莫非就是"精英意识"？谁划分了这一边界？诚然，"精英意识"已经作为一个褒义词渗透到人们的话语体系和思维方式中，人们早已接受暗示，接受"精英意识"，匆忙地把自己或子女打造为"精英"，谁都害怕被划出圈外。然而，这真的很重要吗？对于变幻莫测的命运而言，什么才是最重要的？打个比方吧，人有没有拒绝高科技的自由？我承认自己是个科技迷，喜欢琢磨科技新事物，喜欢写科幻小说，但我相信，人有拒绝高科技和信息的自由。人有选择简单生活方式的自由，人有不必"追求进步"和不必成为"精英"的自由。

在加拿大，既有国家又有社会，一人一票，各级政府都无法包揽一切，没有人拥有特权，整个社会链条的连接是依靠所有人对权利的共识，而非对权力的恐惧。加拿大是一个社区协作良好的成熟国家，公民依据普遍的权利法则履行公民义务，无须活在权力的恐吓和阴影中。

那么，当社会出现潜在危机时（谁能说现在不存在任何危机呢？），所有人都无所意识是危险的，有所意识反倒不是坏事，这也是现代社会公民的道德义务。无论我们个人对接种疫苗一事抱有怎样的态度，都应该倾听别人的声音，寻求尽可能广泛且全面的社会公共辩论。

在疫情期间，哪怕我们不得不面对一定的健康风险，也不得不在尊重个人权利的前提下承担这一风险。否则，谁也不知道下一步会走向何方。我们只会一步一步地，失去所有的权利。当可怕的日子来临时，后悔当初的软弱已经于事无补。争取一个微小的权利或许要花费几十年甚至数百年的时间，奴隶制的消亡，妇女的受教育权，所有人乘坐公交车的平等，公民的投票权，哪一件事情是轻而易举地获得的？天上不会掉下馅饼，很多勇敢的人献出生命才给世界换来一线生机。可是放弃一个权利只需要一个瞬间、一次恐惧。

——写于 2022 年 2 月，发表于芦苇《华人头条》"华人号"

阳光照不到的角落

西塞罗曾经说过，只有灵魂才能看见灵魂。当有灵魂的人面对一个没有灵魂的世界时，痛苦可想而知。这几天，为了一位不幸的同胞，不少心还温热的中国人就在经历这样的痛苦。他们的肺都气炸了，心也掉进了冰窟。

一位母亲的悲惨遭遇震惊了整个中国。她不到四十岁，我不忍复述她的故事。她的脖子上拴着一条铁链，衣衫褴褛，无助地站在一个破屋里，跟前放着一碗不知过期多久的食物。由于我的微信功能限制，无法打开所有视频，只能从截图中看到她的自述。在一次"打卡"录像时，她一边指着天空，一边说："这个世界不要俺了。"她还朝着"家"的方向，说道："这一窝里，全是强奸犯。"这几张视频截图中的她，眼神极其冷峻，她的"家人"说她精神有问题，但那两句话和那两个眼神，都说明她的状态不像他们所轻描淡写的那样。他们说，有暴力倾向的她疯了……

"这个世界不要俺了。"这句话如此清醒！连哲学家和小说家也说不出这样冷峻的句子！我不敢看她的眼神，在那里，我只能看见人间最无望的处境。她的心底一定很怕活着，一定没有阳光，她一直被锁在小黑屋的墙角，那是一个阳光照不到的角落。我猜不出她的具体身世。据说她到这个村庄的时候才十四岁，一个天真烂漫的年纪，她懂英语，相貌姣好，这又增加了她的不幸。我猜想，那些日子，无论多苦，她一定会听见小鸟咕咕的叫声，她一定会注意到阳光，她一定会抱有希望，希望找到父母，回到自己真正的家。但她的愿望落空了，她没有得到命运的一丝怜悯，她没有了家，没有了阳光。所有的颜色，云的白，天的蓝，大地的灰，玉米的黄，南瓜的橙……所有的颜色都不见了。在晴朗和暴虐的天气中，在昼夜轮回的等待和受虐中，她一定"死"过一遍又一遍。

"这个世界不要俺了。"在这个句子里，有"我"（俺），有"世界"，有"我"和"世界"的关系——互不相属。她的孤苦伶仃我一定猜不到，因为她连恨都不屑表达了。她表情中的冷淡与蔑视可没有那么简单。那是对每一个人、对整个世界的蔑视，她有这个权利，因为那不是一个人的罪行，从她十四岁落入"虎口"至今，她遇到的全是非人的折磨，那算什么人间？那些加害她的没有受到任何惩罚，不但没有受到法律法庭的审判，也没有受到道德法庭的审判，他们是很多人眼里的"人"，是"熟人社会"里的"好人"和"正常人"，他们和他们身边的人互相包庇，互相认同，他们以为自己是为了保卫家族利益，保卫村庄这个"集体"，就连人贩子也是那些村庄的"熟人"。

与这个女人对世界的蔑视相比，还有一种蔑视更让我感到脊背发凉，那便是代表权力的"有关部门"对法的蔑视。

照理说，这个女人被铁链锁着、被虐待的视频已经传遍了全网，那么，在正常情况下就该第一时间有人报警，然后警察到场取证，展开调查。不要说一个女人被那么锁着涉及到犯罪，如果一个男人被那么锁着也同样涉及到犯罪！更何况，据女人的"丈夫"介绍，她"精神不正常"，所以才用铁链拴住她，也就是说，在"精神不正常"的情况下，这个女人生下了一个又一个孩子。仅凭这两点，就应该有执法部门"破门而入"了。与她有关的消息很多，牵涉到曾经发生并且正在发生的多种罪行：贩卖人口、非法监禁、虐待、强奸、谋杀。这个女人在二十多年中究竟遭受了多少罪，已经难以想象。很显然，需要法律和社会来解救这个女子，需要警方调查这个事情的来龙去脉。这与全网的愤怒无关，只与常识和法治有关。据说，那个女子已被带往精神病院，据说，没有外人能够接近那个村庄。可是，那个"丈夫"依然活跃，自由自在，脖子上挂着时尚的耳麦。他对自己很满意，众多的粉丝对他很满意，他们对那个不幸的"母亲"也很满意……

这的确是一桩很可疑的案件啊，这的确是第一时间就该让记者奔赴现场、追问进展的案件啊！官媒和记者都选择了沉默，这早已成为常态。人们责备他们，有什么用呢？他们发不出声，一发出声，就会被"处理"。为了生存，他们早已失去勇气。另一方面，记者也无法进入他们想采访的现场，有心无力。记者和媒体的失去勇气和发不出声，引起的不单是愤怒，而是恐慌、绝望。这正是有人所希望的。

一直都是如此，一直都是如此。愤怒，恐慌，绝望，继而沉默，发不出声。

一切都像沉入水底。除了两则前后矛盾、疑似为犯罪嫌疑人"洗地"的"地方通告"，最先出面的反倒是这个女人的大儿子，这位年已二十四岁的男子要求大家不要为他母亲"发声"，不要侵犯他母亲的"肖像权"，这很像是受到指使的反常行为，但又很正常，许多受害者的亲属都在权力压迫或利益驱使下违背受害者意愿。任凭天下的口水淹死他，"有关部门"也不会在乎，他个人也不会有任何反应，因为他压根没有能力识别他本该能够识别的东西，他只是照本宣科地背背词而已。但他的"出面"却极具讽刺意味，因为所有的媒体和执法部门都还没有"出面"呢！有人统计过，针对李云迪事件，共有六百多家媒体连篇累牍地进行报道，而这样一起显而易见的戕害女性事件，竟无一家正式媒体跟进报道。这个女人的"丈夫"依然兴高采烈地"出面"当"网红"，与博主们、粉丝们互动，夸耀自己多子多福的荣光，获得捐助，有一些人从他那里收获"流量"。

还有一些知情者爆料，这位女人被贩卖后，性格刚烈，勇于反抗，所有的牙都被打掉了，舌尖被割（这是可以直接致死的残害！），还有多位男人奸污过她。她被锁在墙角，成为"丈夫"和"公公"的泄欲工具、生育机器，过着求死不得的悲惨生活。而且，如那些人所愿，她"疯"了。她的邻居也是一名被贩卖的妇女，因为不能生育，已经被残害到发疯，只能光着身子趴在地上走路，平时连衣服都没人给她穿上……

写到这里，我只想起了一句话："奥斯维辛之后，写诗是残忍的。"不单写诗残忍，就连思考也是残忍的。我的耳边只响起飓风卷起那个残破屋顶的声音。

越来越多的关于贩卖妇女的情况被披露出来，那些恐怖的犯罪事实叫人不寒而栗，而且涉及到许多省份。很多当事人回忆了自己如何被贩卖、如何被迫嫁人生子、如何逃不出魔掌的经历。也就是说，这位丰县女子的悲剧并非个案。那些被拐卖的女性之所以插翅难飞，是因为在不少地方存在"警匪一家"的情况，各环节配合默契，乡下的"熟人社会"更是对外来人（被拐卖来的妇女）毫无怜悯之心，只将她们当作"器物"来使用，百般凌辱，一旦发现有人逃跑，整个村庄的人都会联合起来，将逃跑者抓回去。在有的地方，有的地方警察也想解救被贩卖妇女，却不敌当地村民的集体抵抗（可是过后为何不派更多更强的警力呢？——我不知道）。还有一个案例很能说明问题，一位同济大学的女研究生被拐卖到一个偏远村庄，几个月后才找准时机，将写有村庄名字和"丈夫"人名的"藏头诗"送抵母校老师手中，经验丰富的上海警察避开当地警方，直接袭击了她的"夫家"，才将她救出。

有一位贾姓著名作家曾经就"贩卖人口"一事发过议论，认为女人应该学会保护自己，不要贪财，就不会上当受骗被拐……他还说，如果不买媳妇，那些村庄的很多男人就娶不上老婆，整个村庄就不得不灭亡了……很显然，在一个女人被贩卖的痛苦和一个村庄被消失的痛苦之间，他陷入了两难境地！他把自以为是的"悲悯"用错了地方！一个村庄，一个民族，一个国家，如果要以极端犯罪的方式得以延续，那么这个村庄，这个民族，这个国家，就让它灭亡好了。那位著名作家竟然没有意识到，这种以买卖人口为"生存根基"的"村庄恐怖主义"是以许多无辜女人作为人质的，而这样的"村庄恐怖主义"之所以能够一直"活着",是因为法的缺席和不作为,是因为监督机制的未能正常运转,是因为整个村庄的人都是这种"村庄恐怖主义"的直接或间接参与者。至于贫困落后以及社会保障福利等问题则属于另一个话题,我在这篇文章里难以展开阐述,的确,"仓廪实而知礼节",我无法否认,这些施害者也是某一方面的受害者。但从人性和法治的角度看,这种"村庄恐怖主义"属于集体犯罪,罪不可赦,应当彻底铲除。

那位丰县女子所在的村庄,只要有一个人发出声音,这个事情就不会拖到今天才被曝光,而且是以"传播正能量"的方式被意外揭露。可以想见,那里的教育从来就没有教给孩子们任何普世价值观,这个女人的大儿子就是一例。不单那个村庄,其他地方呢?教育为什么没有在每一个孩子的心中播下普世价值的种子?普世价值绝非西方的发明,其内涵也包括中国人十分熟悉的"仁"和"爱"。普世价值观怎么可能只属于少数人和少数国家?

只需轻轻地扪心自问,人就应该知道,什么样的生活是正当的,是文明的。老吾老以及人之老,幼吾幼以及人之幼,这不是普世价值又是什么?人活着无非为了美好的生活。什么才叫美好的生活?可以自由地说话,免于匮乏,免于恐惧。就这么简单!为了实现"免于匮乏",国家福利应该为国民解决基本的生存和医疗需求。"免于恐惧"则要求言论自由、新闻自由、信仰自由、法制健全。言论自由是这一切的基础,如果人被剥夺了说真话的权利,就等于被剥夺了最基本的尊严,话都不让说,何来尊严?当我们的自尊心被剥夺,我们能保卫谁?我们在保卫什么?

这些都不是难解的哲学题和政治题,想在复杂的历史中寻找真实,我们就应当在当下付出努力。

那位被铁链锁住脖子的丰县女人既是"村庄恐怖主义"的受害者,也是傲慢权力的受害者。

她此时在哪里？那条锁链锁住的岂止只有她？

如果没有人砸开她的锁链——那条鲜血淋淋的铁链，那么，生活在那片土地上的人就都没有未来。每一户人家，永远都别想松一口气：女孩子买个夜宵，就可能被人贩子及其同伙拐走了；问个路或指个路，就可能被抓去当性奴了；走进一家餐馆吃个饭就可能被下药卖掉了……不要讥笑那些女孩子不懂保护自己，我为自己曾经有过那样的念头而感到羞愧。我记得当年上学时，听说同济大学女生被拐获救一事，脑海里闪过的第一个念头就是："研究生还会被骗？！"那时的我只知道人云亦云，压根不懂贩卖人口"产业链"的事情。这么多年来，在那种"产业链"的每一个环节，都有职业罪犯在热闹或僻静的地方等待行凶时机，任何年轻女人，任何孩子，在任何地方，都有可能遭遇不测。

让人看到一线光明的，是一直不肯放弃的来自全社会的各种民间力量，还有《盲山》里那个为老师送信的孩子。这才是"保卫村庄、保卫社会"的希望所在。如果全社会不敢为消除"贩卖人口"这样的罪行而勇敢抗争，那么，没有哪个家庭可以高枕无忧。那一条锁链锁住的，正是一个民族的未来。

所有美丽又愤怒的灵魂啊，请你们不要放弃！

如果人们无法为那个丰县女人讨回公道，她就只有认命，而后带着屈辱，带着脖子上被铁链磨出的疤痕，屈辱地活下去，像一条狗一样。当她离开这个世界的时候，她一定会用蔑视的口吻说："俺不要这个世界了！"

——发表于 2022 年 2 月 6 日芦苇《华人头条》"华人号"

心灵的图景

漂泊的蛋壳船

上小学前，我住在一条长满青竹的乡村街区，小马路凹凸不平，汽车经过时，地上飞起的灰尘飘到我家二楼阳台的晾衣绳上。我们那时的房子就叫"连排屋"，有几家房子连成一排，我家阳台和邻居家的紧挨一起，仅以木围栏相隔。邻居家的孩子常常从晒着的衣服背后倏地探出头来，和我说话。衣服还没有干，也还没有被风吹到晾衣竿的边上，小伙伴就用来裹住身体，只露出一张笑脸。家对门的竹林外，就是江岸，江岸外就是大江。

客船到达时，整条街都开始摇晃起来。

当汽笛声响过之后，街上很快便传来嘀嗒嘀嗒的脚步声，急促又慌乱，孩子们的哭闹声也会夹杂其中。"不哭，不哭，马上到家了，到家了……"大人们一边哄着小孩，一边看顾着肩背上的行李。茫然的尘土追随着人群，追随着风。我有时就将双手支在阳台的栏杆上，看着客船捎来的人们快快地从街上走过，赶回家。记得有一段时间，父母在外地工作，周末才回乡下来陪我们。于是，轮船的来去就敦促我学会了等待。轮船定期将父母载回来，有时还会多出各式各样的小礼物：一张画、一本书、一个写字本、一盒曲奇饼干等。那些礼物在当时都令我心动，那是上个世纪七十年代后期，文革刚结束不久，空气中蕴藏着一股不可名状的能量。

轮船靠泊和离港时总会如期响起低沉又迷茫的汽笛声："嘟嘟嘟……"

听着汽笛声由远到近、由近到远，我决定长大了也要试一试这水上"汽车"的威力，我要在甲板上踱来踱去，我要透过船舱的窗户观察陆上人家的烟囱。噼啪噼啪，干树枝扔进柴火灶的声音清脆悦耳，橘红色的灶火将炉边的脸映得通红，坑坑洼洼的乡村土屋里混杂着雨水、树枝、猪群的气味。

客船到岸、离岸的时候，粗重的缆绳连接着岸和船，缆绳上有时会飞来一只像仙鹤一样形体修长的白鹭，曲起腿，凝视江面。从远一点的地方看，白鹭宛如一颗雪白的珍珠，忽闪在跳跃的波浪之间。

在江岸上遇见白鹭的黄昏令人充满遐想，蛰伏在四季里的爱与孤独，仿佛被唤醒。客船劈斩江浪所激起的汹涌波涛，与它充满愁思的徘徊一样，沉积在人们心肠中最柔软的一个角落，等待生命之帆的扬起，一片又一片，一年又一年。

我知道船会带我远行，去更远的地方。

我在那个村庄见过初生的太阳从天边升起，越来越高，驱赶昨夜的清冷。即将消逝的晚霞从不思索它的短暂存在，说走就走。我和小伙伴们在夏夜捉迷藏。那些日子，很多人的生活都仅仅是为了填饱肚子，顾不上别的。街上的人家彼此借个米、借个钱之类的很常见，也有因此闹翻、弄出事故的，至于因为忤逆"权威"意愿而致恋爱不自由的，我也时有耳闻，记忆中至今还有一些无奈悲伤的脸庞，除了他们自己，那些无奈悲伤永远也无法被人真正理解。有些"成分"不好的人家，经过几十年的各种"运动"，一个人也没有剩下来，自然也就不会再被人提起。还有的人家只剩下了一个人，比如那位总是将头发梳得油光发亮的孤傲阿婆……她一辈子都把头昂得高高的，不卑不亢，把自己打扮得漂漂亮亮，把囤着的金条一点一点地交出去，换回金钱和粮食。每个女人都会老去，但不是每个女人都能像她那样老去。

我还记得自己曾对一种心酸的流浪生活很感兴趣。

家对面竹林外的江边，经常会有青褐色的渔船靠泊，船上的渔民住在篷船里，风吹日晒。船有时从上游来，有时从下游来。有人称他们为"水上吉普赛人"。船篷有三五片，用竹篾做成，状若瓦片，漆上桐油，遮蔽阳光，抵挡风雨。渔民捕鱼为生，一日三餐都离不开海鲜，或是他们自制的腌制咸鱼等。渔船的外型酷似蛋壳，像浮萍一样，飘在江上。

也有人说，与风浪相比，这些渔民的船和生活际遇都很脆弱，像蛋壳一般易碎，故称"疍家"。"疍家人"的来历如同历史图像中的一抹浮云，独自挂在天边，既没有浓墨修饰，也没有令人振奋的形状。不知多少年以前，他们祖上为了逃避战乱和迫害，选择了"以船为家"的漂泊生活。他们洗衣做饭和吃喝拉撒睡都在船上，茫茫江海成了固定的"家"。我眼中喜怒无常的江海便是他们眼中的"陆地"，他们终日依傍着水，听着波浪敲打船舷。我脚下欢跳的土地和砖瓦下的家，却是他们眼中的"江海"，他们只是偶尔飘过而已。他们必须弯着身子进出船舱，因而双脚的形状不似正常人那么笔直；但他们有时候又必须直起身子，譬如他们在船首用竹篙撑船的时候。带着大笠帽、皮肤黝黑的渔民与江风搏击时的景象在雾中忽隐忽现，很多摄影作品和图画都展现过那样的场景，而童年时的我当然没有任何欣赏或捕捉什么"精彩"的念头（至今我都没有这样的念头），我只记得自己曾在天色尚未变黑时，在岸上小跑，分辨渔船的轮廓。

我不知道这些船的固定泊靠点在哪里，也许在更远的某一处岸边吧。我只知道，它唯一固定的"位置"只在江海之中。我听人说过，渔民如果操办婚礼，会在船篷上搭起红布。换句话说，船篷里也装得下一个"新房"，一个"家"。

夕阳西下时，江面上波光粼粼，泛射出淡金色的光泽。这些停在水边的"家"里也会升起炊烟，船上的女人和女孩子将她们纤弱的身影留在夕阳里。高个子船主从"蛋壳船"里走出来，将活鱼抛给岸边等待的熟客或新客。他们也会将鱼送到熟客的家门口，一手称重，一手交钱。外祖母拿到新鲜小鱼，二话不说，直接清洗后就扔进锅里，刺啦一声，鱼的颜色很快变成金黄色，连着骨刺，美味可口的鱼很快就被吃个精光。住在岸上的人家不怎么花心思去了解这些卖鱼的人，甚至在言语中略带轻视，说"疍家人"常年生活在船上，曲着双腿（"曲蹄"），居无定所，没有见识，没有"家"，因而无情。当村民议论某人奸猾时，就形容说，"他就像那些'船下人'……"渔民是否也感受到别人眼神里的一丝微妙的高傲呢？我想是的。渔民上岸，除了买卖东西，很少逗留，他们宽大帽檐下的眼神流露出戒备和犹疑。可是，那从篷船锅里冒出来的热气，又怎能不是一样的人间烟火呢？我还见过光着脚丫的女人趴在"蛋壳船"里擦地板，她的腰肢有规律地起伏着，像在追逐一支逝去的古老曲调。

在童年的我看来，船上人家的浮萍般的生活似乎颇有诗意，如果我可以蜷伏在船篷中，漂游四方，我可以收藏多少的彩石与贝壳啊！沿江的翠竹都会在我的视线中晃来晃去。可惜的是，并不是常有"蛋壳船"长时间地停留在我们那里，它们总是匆忙来去，奔向自己的方向。我也从没有过机会登上这种小船。船篷里的一切于我，至今还是谜。他们如何风里来雨里去，如何在台风天里撑起竹篙，如何在船舱内外搭起一场婚礼的宴席，我无从得知。在隐形的漂泊中，他们的心门如何关闭？又如何开出一条缝隙？或许，任何体验都会在风浪面前失去意义，如同岁月的漩涡，卷过来，卷过去。而真正的"风平浪静"只在寻找之后。

漂泊的心思，与遥远的星光和冷月一样，只能远观，难以近前细问。

我后来每每邂逅"漂泊"一词，便想起"疍家"篷船。"疍家人"的船篷固然不如岸上的屋顶结实，但人生而为人，漂泊的感觉却是相似的。人在漂泊旅程中寻找一些坚实的依靠，譬如支撑船篷的船舷上的竹柱，譬如坚实地基上盖起的房屋。而后，才有"家"的感觉。这依然只是表象，只有心灵的漂泊才是人真正的精神实质。因此，人非要做些不可理解之事，非要不停地寻找，寻找夜空和阳光下的安宁。各种创世神话和宗教传说就诞生于人类早期的劳作与惊奇中。漂泊的过程无非寻找的过程，漂泊的目的却是为了不再漂泊。人们用文学、哲学、宗教的语言描述世界上最孤独的词"漂泊"。我总会从中联想起童年的那段记忆。

"漂泊"的形状，不正像波光中的"蛋壳船"吗？它那突出又鲜明的形象，藏匿着命运的凶猛与宁静。

我只在那江岸旁的竹林边上生活了六年多，那是人生最初的几年，因而记忆也散发出最初的一丝好奇。我见过很多熟悉和陌生的人，包括捕鱼捉虾的"疍家人"，但我从来不曾问过他们，是否在匆忙的行走中感受过生活的威力。

——发表于《福建文学》"2021 年新人专号"

鼓浪屿的黄昏

登船的人不少，在乘客和送客的人不得不分开的地方，我见到一对恋人正依依惜别。一束金黄色的蒲公英在女人的手中摇晃，正是这种植物盛开的时节。

渡轮上人来人往，人们在寻找自己喜欢的位置，拍照，说话，沉思。

海上的风叫人难以察觉，即将消逝的霞光落在微波荡漾的水面上，落日与晚霞的影子沉入水底，倒影像一座轮廓模糊的小塔，缓缓摇动。有艘白色小渔船停在附近水域，沿着船舷的一圈绿色若隐若现，淡若柳花。一位年轻的渔民摆弄着草帽帽檐，低着头，漫无目的地将双脚搁在船边，荡来荡去。夜灯尚未亮起，天色已慢慢地暗下来。

海浪开始了它的祈祷，祈祷月光如约而至。

现在已是傍晚时分。每当黄昏来临，你的意识深处总会因为夜幕即将降临而感到有所留恋，你或许聚精会神地盯着远方，看夕阳的余晖飘散出一条条金色丝线，落在篱笆丛中的三角梅上，落在歪歪斜斜的青石路上，落在曲折的海岸线上。你或许无意间发现，岸边放风筝少年的黑发上正闪着金光，他那种天真无邪的目光穿透了海水……

你，或许还想抓住些什么？谁会听到你心底的叹息声，谁会关心你的美丽与哀愁？你眼睁睁地看着夕阳消失天际，一切都变得朦胧，像罩着一层轻纱，如同此刻的鼓浪屿。

这座绿色的小花园安静地飘浮在海面上，不言不语，邂逅着柔风绿水，邂逅着沙滩上手握紫色气球、身穿粉红蓬蓬裙的小女孩，邂逅着不知从哪里的大海边上漂泊而来的一片深红色的粗大贝壳。

还有蒲公英。

你若在十八岁时爱过一株蒲公英，你就会知道，那一种嫩黄色的像小蘑菇一样纤弱的草，将一直绵绵地开放在你的心中。人的长大常常发生在不经意间，某一天，你找到一处荒凉如废墟的地方，心开始长出草，开始注意到平时不曾留意过的颜色和声音。你长大了。你已离开家，独自求学，你独自承受，不知如何表达自己。你不知道如何描述眼中所见、心中所想。

你被抛到一片精神空地，开始忍受无助，于是你开始想象，玛雅遗迹、楼兰遗迹、消失的亚特兰蒂斯等曾经震撼过你的谜一样的古城，在突然消失的那一刻，不止混杂着人的哭声，也混杂着花和鸟的叹息声，断壁残垣在与己无关的历史中，风化成破碎的心。

那也是我十八岁时曾经有过的瞬间感受，我就是在离家上大学的第一年，在无人的厦大海边感受到了蒲公英的美。它若蓬勃地长在我后来居住的多伦多的街路，就成了不折不扣的野草，人人恨不得拔而毁之，使之无根无痕，无影无踪，以免长势迅猛，有碍市容。但在那些荒凉或幽静之处，这般鲜艳的草就显得楚楚动人。海边的石头缝里，沙石地里，密密地长着蒲公英，季节到的时候就飘起来，跟随着风，到地球上的所有地方去，飘过小岛，飘过大海。

好几年前，我还在鼓浪屿的海边见过一座被废弃的红砖房，孤零零的，像天使遗忘在人间的一间玩具小屋。房后的小石缝里，蒲公英开得金灿灿的，迎风摇摆，似乎比老房子更有来历。它飘起来的时候，没有任何东西可以阻挡它的飞翔。它，留在想停下来的任何地方，无拘无束地开出一样的花，一样的颜色，慢慢地，蔓延成初春里的一簇簇金黄。

也许我记忆深处的蒲公英感到寂寞了，便施展出魔力，闯入我的视野。当我在渡轮的栏杆边上站定时，发现身边站着一位失魂落魄的年轻女人，她的右手上握着一束亮晶晶的蒲公英。原来是她！那个与恋人依依惜别的女子。

所有的乘客在经过她身边时，都忍不住看她一眼，她悲泣的样子过于自我了。她的肩膀和后背在剧烈颤抖，左手紧拽着自己的披肩长发，仿佛痛感能够穿过发梢，嵌入大脑。她的惊惧悲凉的情绪经由黄昏的光线照射，透出淡橘色的忧伤。

她的忧伤如此引人注目。

渡轮上的乘客走来走去，各自忙碌。一阵人潮涌动后，渡轮在霞光中开始鸣泣，离岸的汽笛声轰然响起，像大海怒吼时发出的巨浪滚滚的声音。这一次的叫鸣声如此愤怒，与我往日听到的汽笛声不一样。

那个女人似乎一直在等待这一刻，抑制的恐惧终于在离岸的催促声响起时，爆发了。她狠狠地哭出了声。

她的嘴唇颤抖着，眼睛望着远方，她的眼里满是悲伤，谁也无法理解那双眼里的哀愁，除了大海。她的哭声飞过船舷，越入海底。

笛声再次轰鸣，一闪而过，那女人将两只手惊慌地抓住栏杆，泪水滴在栏杆上，她面向大海，交给大海一张绝望的脸庞，无助地，惊慌地，像一只再也回不到森林的飞鸟。她手中亮晶晶的蒲公英紧贴着栏杆，颤颤巍巍的，我熟悉的这种金黄色在她手中变成一种极为深沉的颜色。

我不明白她——为什么如此忧伤？

我望着眼前这个美丽的女人，这个被离愁裹住、忘记了世界的女人。

在汽笛声鸣起的这一刻，她身上携带着的离愁别绪，像一株蒲公英，蔓延成海。

——发表于 2019 年 3 月 29 日《台海网》

爱情的颜色

爱情的颜色，我不确定。

爱开始的颜色，应是粉红的吧？撩人的柔美，嫩嫩的粉，像三月的桃花，像轻纱拂面。风铃声响起的时候，桃色花瓣落在明媚的脸庞上。爱就停留在如花的笑靥中，无可夺走。此时的爱，像蘑菇初长，像春花初开。

爱慢慢地被紫色笼罩。是丁香花，是薰衣草，犹如繁星满天，可望却不可及；是紫蝴蝶，飞入花丛，伸手可触，却旋即扑翅离去；是神话里的紫水晶，神秘，难以捉摸，似近若远，睡里梦里都蒙着一层紫色的雾，总想拨开，总有障碍。思念和不安此起彼伏，是此时的爱。

爱必会呈现橙色。世上最活泼和欢快的暖色，谁没有见过？安定的心，收获的喜。如南瓜，如柑桔和菠萝，金灿灿的，圆润饱满，甜而不腻。当相爱的人合二为一、情深意浓之时，天边的霞光不假思索地坠入人间烟火，辉煌而华美的金橙色装饰着爱，象征着爱。人生再无所求，所见皆是果实累累。问世间情为何物，直叫人生死相许？讲的便是此时的爱。

谈到爱情的颜色，便不能不想到鲜红的玫瑰。记得初中时，有一次我回江苏过春节。运河边上的小镇只是略微有些寒意，有一天，沿着雾一般的乡间小路，大人带我到了一个远房亲戚的家里。在一个即将出嫁的大姐姐的闺房内，我见到了非常鲜艳的红色。

一层又一层的大红绸缎被子亮晶晶的，将整个房间映照得热烈明媚。被面上的图案有玫瑰、牡丹，大约有七八床吧？整整齐齐地折成长方形，陈列在大床上。这些精致的被子都由准新娘的娘家人巧手所织。江南的女子心灵手巧，譬如我那闲不住的祖母，虽然视力不好，可是一辈子都喜欢在后厅的纺织机上忙碌，到了老年，也不例外。

我记得她纳鞋底的最后一个动作，左手套在布鞋里，头一歪，右手一拉，再用牙齿咬断尾线，一只布鞋就骄傲地扬起在空中了。那天，那位头发乌黑、面若皓月的大姐姐忧伤地低着头，轻声地哭。亲人们在一旁柔声安慰。

她为何伤心？为何落泪？不是马上就要当新嫁娘了吗？我悄悄地问。

大人们都笑了起来，并不看我，只用酥软的苏南话回答道："傻孩子，她不是真的伤心啊。"这一幕让我想起不肯远嫁的探春，想起打着伞、神情恍惚的乡下新娘，她们不愿离开父母、一步一回头的样子，颇具戏剧性，似乎经过充满默契的"排练"，又似乎发自真心。

我从来没有在一张床上见过那么多的被子。那些红色，如初阳般浓烈艳丽的玫瑰红，触动了我。从那以后，想到爱情和婚姻，我就会想到那坠入情网的红。

又有哪种红比玫瑰红更像心的颜色呢？

难怪人们总爱用红玫瑰来象征爱情。大红被子其实也表达了一个最寻常、最绵长的祝福：希望新娘子在此后的爱情人生中，永远都能过着红红火火的日子。那就太好了！但愿两颗火红的心，永远地，在一起。

不过呢，结婚并不代表爱情修成正果，日子还长着呢！真正尘埃落定的爱，从来都要等到岁月的尽头才会展露欢颜，而在平凡的生活中，爱情常常以疾风骤雨般的悲壮面貌出现：人还在老地方，心却飞了。爱情既有开始，也免不了有结束。忽然某一天，爱掉进了万丈深渊，黑色成了唯一的生命底色，心里再也不见了光明。地狱的样子谁曾见过？失恋的人。他们认定自己身处地狱，伸手不见五指，心染成黑，梦里也难遇一丝光亮——爱情，爱情，你到底怎么了？

爱情可以被画成任何颜色，但任何颜色都画不出爱情的模样。人世间的爱情因为依附着心而诞生，又因为不能继续依附着心而消逝。心的悲喜和酸甜苦辣，才给爱涂上了"五颜六色"，心是爱的居所。我们以生命为画布，以爱为彩笔，肆意涂抹。即使所有的油彩都将褪色成无，我们依然仔细着色。

说好爱永不褪色的，但还是褪色了，该去问谁呢。当一段爱情消失的时候，心中的斑斓色彩立即消失。或许某一天，恍惚想起一个略带忧伤和迟钝的故事。故事里，桃花粉，丁香紫，或明艳、或黯淡。闭上眼仿佛看得见远方的彩色画面，睁开眼一切又都不见。飘下悬崖的玫瑰瞬间无影无踪，化作尘土，只留下无处可觅的玫瑰之"心"，一点一点地枯萎。

告别时的爱情，带着所有的色彩离去，像消逝的生命。新的爱情，又带着所有的色彩而来。

爱情不但有颜色，也有声音，当爱情开始褪色时，她或许会挣扎，会忍不住发出求救的声音。如果我们听得见，我们当然愿意和爱情一起，给炉子加一盆炭火。瞧见壁炉里的炭火了吗？点燃时，温度发生变化，越来越热，颜色也随之发生变化。除了最为常见的橘色火光，还有黄色、白色、蓝色、红色等。如果往里添加不同的燃烧物，就产生出不同的化学反应，炭火的颜色也随之改变。

说真的，这情形不难理解。温度，改变了火焰的颜色。一团熊熊燃烧的冬夜炉火，也将爱情的秘密告诉了我们。

——发表于 2017 年 6 月《365 网络电视》"文学园地"

社交距离

傍晚，我犹豫了一会，还是开车出了门。到了离家不很远的一个小广场，停好车，小心翼翼地往商场里走。早上下了一场二十厘米厚的大雪，停车场的地上有点滑，也有点脏，天还没暗，浮云在一圈建筑物之间穿梭。穿过一条长长的人行通道，望向右边，我看见对面的马路后边，两座楼房耸入云端，玻璃窗泛起淡蓝色光泽，再后面，更远的后面——是辽阔的大湖，此刻的它正在经历着严冬的考验。

对面街上扑来浓郁的节日气息，大红蝴蝶结缎带花系在黑色铁栏杆上，随风飘荡。彩灯挂在黑黝黝的枯树上，只等天再暗一点，就要大放光芒。我还看见了那座高傲的"史前"红砖房。它的赭红色，经历了太多的年代与风雪，透出一股遗世独立的冷漠。黑窗外，常青藤的叶子已全部落光，只剩粗细不一的茎枝藤须装点着整面墙，在所有美色消逝之后，如今的枯枝枯茎只颓然象征着消逝而已！冬天，总不免给人清冷的感觉。

商场里的顾客不多。我挑了几瓶 Chili 酱料和新鲜水果，就去结账。

"真快，又一年了，好久没见了？"我对店员劳拉说道。她为人活泼，每次结账，都喜欢同顾客谈天说地，我经常光顾，与她相熟，有一次，她还跟我聊起她父亲在老人院的生活。

"是啊，真快。"她冲我笑笑，欲言又止。她的眼中少了热切，即使是戴着口罩，我也能够感知快乐与否的。

"你——都好吗？有什么新年计划吗？"我一边用随身包上挂着

的酒精擦手液擦手，一边问。

"没，就呆家里吧，你还记得我父亲吧。他前段时间走了——在老人院里。他是被测出阳性的，没错，是新冠病毒。但他不是死于病毒，这可是千真万确的事，他死于心脏病。他很老了，从去年开始就有点失忆了，我跟你说吧，我还没学会怎么和失忆的他相处呢，就被这疫情弄得这限制那限制的——人在那样的时候最需要亲人，最需要劝慰，却眼睁睁地看不见最亲的人，那该是多么的无助！你说说看，这恐惧，不是比病毒更可怕吗？看这每天滚动的新闻，如果把所有的传染病数字都放上去，胆小的就一辈子躲家里吧。我差点要和他们打官司了，前几个月形势紧张时，他们那里限制家属探视，现在倒让进去了，可我父亲却不在里面了。我无法相信，我的天啦，我这一生，从此再也没有人关心我失眠与否了。我这些天呢，就总想起小时候，父亲带我到愚人村的湖边荡秋千，他那陈年老酒般的醇美笑容就在我心头一直荡啊荡啊——这可恨的社交距离——"她慢吞吞地将发票打印出来，递给我。

可怜的劳拉！这可如何是好？我本该好好地拥抱她！但是透明塑料隔板隔开了我们。劳拉无奈地伸出左手，指了指结账柜台上的塑料隔板，摇了摇头。

到处都是隔板和其他的分隔标志，从未有过这样的时刻。在室内公共服务场所的等待区域，画着一个又一个圆圈，将人们站立的位置固定好。而在那些需要坐下来等候服务的地方，许多椅子都被粗绳围起来，并放置了"禁止坐下"的标志牌，以确保人和人之间保持足够的"社交距离"。各种室内活动更是对参加人数进行了不同等级的限制。我有位朋友总爱说，越是在病毒肆虐的时候，人和人越要紧靠在一起，而不是分开。谁说不是呢？可是当人们面对一场突如其来的新病毒以及难以预测的新变种时，又对此种"分隔"无可奈何。即使有的"分隔"措施只是一项口头建议，不存在任何法律上的强制，也让民众觉得不舒服，"分隔"成为一种令人颇为困惑、恐惧的日常场景。

"唉，听到这个消息真叫人难过。我相信你一定给他带去过很多欢乐……你自己也多保重啊。我这个新年也只打算窝在家里，哪儿都不去。"我回过神来，柔声安慰劳拉。

她沉沉地嗯了一声，又问我要不要给食物银行捐一份食物，我说好。她随后利索地拿出消毒酒精喷了喷桌面，又用纸擦干净。后面已经走来两个等待结账的顾客，我和劳拉只好互道一声"新年快乐"，匆忙作别。望着结账台边的一整排隔板，我突然想到，这两年，或者说这些年来，因为懒散和倦怠，因为忧郁和烦躁，我心中不也曾经筑起像高墙一样的隔板？除了应付工作和家务，我对自己的精神世界缺少探究的热情，我觉得自己不像从前的自己，少了坚定，多了犹疑。当我看到难以理解的事物时，我既不愿多想也懒得提笔。那么多的思想危机，那么多的争辩，谁能说服得了谁？你们有你们的"元宇宙"，我有我的"心宇宙"。我觉得自己以前的内向是积极的，现在，我觉得自己的自我孤立是消极的，这不是源于孤傲或是畏惧，而是源于对这个世界的整体失望。说什么都没有用，写什么都改变不了我所憎恶的。这个世界究竟在谁手中？上帝吗？还是所有强权的聚合？世界还是原先的那个世界吗？因为失望而变得沉默，这或许算不上可鄙，但无论如何，这不能算是一种有价值的悲观主义。

不知道为什么，当我走到超市门口时，起风了。这一个冬天，尽管我的家里依然有温馨幸福的氛围，我还是感觉到，有一种与往日不同的寒冷包围了我。劳拉的暗自啜泣，来自宇宙深处的低沉叹息，都在我耳边呜呜呜地响了起来。

劳拉不是毫不相干的人，实际上，每个人的苦难都与其他人乃至整个世界息息相关。在这一刻，我感觉我只想拆除这世界上的一切隔板，无论是塑料的，还是玻璃的，抑或是我内心的……

——写于 2020 年 12 月

倾听

加拿大的自然风光如诗如画，吸引了世界各地的游客：我曾在多处赏枫胜地遇见从国内来的同胞，他们久久眺望着云霞中的火红枫林；我也曾在滑雪场遇见从瑞士来的巡逻志愿者，这些滑雪高手的身影，风一般地穿过月光下的厚厚白雪，无声的雪既叹息着夜的降临，又拥抱着在雪中逐梦的人儿；我还曾在夏日露营地里与欧洲来的"背包客"聊过森林，确切地说，我应该称呼他们为"帐篷客"，很多"帐篷客"喜欢独自行走，就那么一个人，行走在裸露出大地颜色的林间路上。

一个人，就那么背着帐篷和简易行装，步伐沉稳，迈向幽静神秘的松林。他们在狭窄的森林入口遇见伫立于栎树枝头上的冠蓝鸦，一想到它在覆盖着白雪的枯枝上亦可如此高傲地眺望远方，不免颔首微笑，心生暖意。再往里走，便会邂逅笔直粗壮的杨树树干、紫红色的风铃花、成串的野慈姑花……夜色静寂时，他们在纯粹的静寂中聆听远离尘世的溪水的声音……独自经过，独自倾听哗哗的水声，这夏的芳华啊，那独行的人怎舍得去遥想冬的寂寥！

我羡慕这些勇闯未知的独行者，他们接受来自密林深处和高山之巅的邀请，他们处处闻得见野花的香气。我自幼胆小，若是独自出发，只敢在城市或城郊的森林中漫游，不敢到偏远的野外独自探险，我担心迷路，担心天黑之前赶不回出口。但我已经心满意足，在加拿大的城市和城郊，不难寻着大大小小的森林，其中也包括保留区公园的森林，那些通向幽林的道路令我着迷，我将车停在入口后，就在心里哼着曲儿，去看望我喜爱的槭树叶片、海棠花瓣和湖边的苇草。那些苇草成片的地方，河水厚重地忍耐着，淡金色晨光透出一丝温柔的宁静。

走在曲折的溪涧边上，我的心绪也是一样的宁静。林木逐渐茂密，黄灰蝶噗地一声趴在路边的岩石上，一动不动，我盯着它的翅膀，耀眼的黄色变得柔和，犹如在灰纸上用蜡笔涂抹蛋黄的颜色。如此无声的希望，如此深刻的优美。

我屏住呼吸，不敢惊扰它。再一抬头，晨光依旧如水，天边的蔚蓝色宽厚地驻留在一切色彩的背后，无论是山川河流还是花草树木，都在蔚蓝光泽中熠熠生辉。

在野外，我们的眼睛更会注意到天空的广袤与浩渺，我们的耳朵更会注意到大自然的一切声响。在森林的阳光中，微风如缕，空气微甜，所有的美好都聚集于大地之上。在这样的时刻，我更乐意在脑海里盘旋起音乐旋律，而非诗句。

我早已忘了历史，忘了人类的一切计谋。

我只耐心地倾听。

风的声音，鸟的声音，花叶颤抖的声音，动物奔跑的声音，还有自己踩着树叶、追着流水的脚步声，全都那么好听。对我而言，还有一种内在的声音无处不在。一颗敏感心灵与外部世界之间的隔阂与融洽，既是一种情感状态，也是一种风景状态，我对此深信不疑。就像那些登高望远的"帐篷客"们，那些真正只在独行中洗涤身心而非炫耀里程的人，不会寻找太多的东西，他们的相机就安装在大脑中，他们的影集就陈列在记忆中。他们来不及记录，只够将时间用于感受。感受，并且倾听。

说起偏远的森林地带，我也去过不少，尤其是在露营的时候。前几年，我经常和家人及朋友们去露营，与头顶的满天繁星作伴。天气好时，还有机会听见流星"哧"地一声划过天穹。加拿大人对宿营的狂热我深有体会。为了一个绝佳的营地位置，从春天开放预定开始，就要及早下手，有很多人熬夜"踩点"，守着电脑。如果盯着屏幕时犹豫不决，原先"窥视"过的好地盘就立即被网络另一头的人挑走了。这样的胜利时刻值得炫耀，醉人的湖光山色仿佛已被揽入怀中。我们通常只能预定到一些非热门营地，说句实话，这些地方的松柏也是一样的苍翠如玉，而那连绵不绝的江浪起伏更是丝毫不逊色于大海的潮起潮落。

有一次，我们租到一个配有宿营房车的营地，晚上可以住在房车里，不过，刚上小学的女儿、儿子宁愿在车旁搭起心爱的帐篷，刚买来的睡袋正需要试一试夜里的温度呢！他们说，帐篷顶上的雨声才更为悦耳，更令人期待。他们很快就和爸爸一起搭好了帐篷，钻进钻出，把里面的空间塞得满满的。夜深后，先生陪着女儿、儿子睡帐篷，我一个人则在设施齐全的房车里睡，相比以前睡帐篷的情形，我感觉像住进了总统套房。记得之前在帐篷里过夜的时候，我总要在睡前将垃圾袋绑得紧紧的，将桌上收拾得连一滴果汁都不留下痕迹，但还是发生过垃圾袋被不明动物啃破的惊人一幕，一想到小棕熊可能在我们入睡时袭击过营地，我便吓得脸色苍白。好在加拿大的棕熊名声尚好，对人友善，因而不致引发露营者的恐慌。若真有人想与棕熊来一场不期而遇，只怕筹划多年也难以如愿，这是需要缘分和运气的，若能在野外与棕熊四目相对，就成头版头条新闻了，不是吗？

那天夜里突然下起了阵雨，我被雨声惊醒，就下意识地爬下床，打开灯，卷开厚厚的棕色布帘，窗外漆黑一片。我穿上雨衣，带上手电筒，便冲进了雨里。钻进帐篷时，一股湿冷的凉意流遍全身，这恼人的倾盆大雨！我先是穿过"客厅"，这里堆着拖鞋、薄夹克、折叠椅、救生衣之类的杂物，几乎没有剩出多少空间。我又蹑手蹑脚地钻进"卧室"，曲腿趴在床边，大家都睡得正香呢！白天又是玩水，又是骑车观鸟，这会都累了。

帐篷比我想象中结实得多，看不出任何一个角落将会滴下哪怕一滴的雨水。

回到房车后，雨变小了，淅淅沥沥的，宛若春雨连绵。抖了抖雨水，脱下雨衣，我刚打个呵欠，雨又下大了。听着车顶传来的滴滴答答声，我睡意全消，便打开炉子开关，一边煮牛奶，一边翻找坚果盒里的凤梨酥。孩子们总是笑我，说妈妈走到哪里都像要带上一个家。

雨声忽大忽小。因为黑，我看不见窗外的景象，只能想象着雨水拍打岩石的声音。天刚亮，孩子们就蹿进了房车。我从冰箱里取出酸奶、牛奶、蛋糕，放在小餐桌上，而后开始煎荷包蛋。孩子们刷牙洗脸后，就走来走去地寻找新奇之物。问起雨，他们说，没有发现昨夜有雨，因而也没有听到雨声如何优美。女儿说，其实只要有个屋顶（roof），就很像"家"（home）了，比如这帐篷，就是人们野外的"家"。而房车就太像"房子"了，因为房车照搬了 house 的设计，缺乏像"帐篷"那样与大自然母亲相偎相依的热度。我不得不佩服女儿的观察，我们在野外夜路中行走时，帐篷里透出的浅橘色灯光总是暖得叫人忍不住驻足回望，而房车里透出的白光却少了很多温情，房车的坚固已经拒绝了任何的靠近。

儿子对姐姐的话不以为然，他认为，天空的形状才最像一个大屋顶，所以，地球上的人既然都生活在天空下，就都算有住处了，天空会保护地球。那段时间，儿子老在琢磨与地球有关的事情，说个啥都要套上"地球"这个大词，他经常自言自语地问，在地球上，到哪里才找得到史前的恐龙化石呢？那段时间，澳洲和辽宁就是他梦寐以求的恐龙蛋藏身之处。儿子还认定，他与地球的相遇发生在他出生的北约克医院。我纠正说，你蜷缩在妈妈肚子里的时候，就已经与地球相遇了。我没有说错，每一个婴儿其实在出生前都有过一张最舒适的"床"。

说到底，无论一路所遇的风光如何壮美，人总有入夜的时辰。在野外时，人们需要用专门的钉子固定住帐篷，与土地相连。有了结实的帐篷，一张象样的床就能搭起来了。人没法睡在风景中，人需要一张躺下可以做梦的床。

说话间，鸡蛋煎好了，露营车的房门突然咣当一声被推开了，先生睡眼惺忪地走进来，问道："昨天夜里下雨了？"

这时，不远处的树上传来霍霍的雀鸟叫声，悦耳优美的颤音像在唱一首歌，让人感受到发自肺腑的欢乐。醒来的森林在向世界发出邀请。鸟儿在叫，风儿在鸣响，河水在流，松果在落下来，人和动物的脚步也在彼此追逐。人在说话，大自然也在说话；人在倾听，大自然也在倾听。我们在倾听的同时，也在说出心底的话。而每一个清晨的到来，都意味着一次新的漫游和倾听。

虽然我在房车里一夜无眠，但我从与家人的晨谈中获得清新感受。关于地球、屋顶、天空、帐篷、房车的议论和倾听，以及与"家"有关的那些延伸，将我的抽象感觉与现实连为一体，我在充满暖意的隐喻中保存起我的记忆。

——发表于《作家报头条》海外文学总第 7 期

住在城堡里的美人

你长得真美，人们说，你是神的旨意。你的眼眸比星辰还亮，柔软的肌肤犹如绸缎一般光滑，你笑起来的时候，世界也跟着笑起来，你的心比炉火还烫，你的吻比枫叶糖浆更甜腻。你不怕灼热的阳光，它烫伤不了你。可是一到秋末，谁也不忍看你怅惘的模样，窗台上的落叶刚刚过了最多姿多彩的季节！

你一个人，住在偌大的城堡里，就你一个人。这座巨型城堡是命运用它自身的血和泪建造而成的，四周耸立着高墙。墙和城堡连为一座城，墙里墙外都种着鲜花。郁金香在春天开遍花圃，英格兰红玫瑰呢，要到夏天才张开红红粉粉的笑脸。塔楼，拱门，圆屋顶，烛火，壁炉，亮晶晶的餐具，雕花的绣花餐布，天鹅绒坐垫，天花板上覆盖着的超大型绘画，枝形吊灯……每一个角落都富丽堂皇，极尽奢华。

你一个人，一边微笑，一边叹息，看朝霞从天边浮现，看斜阳余晖照在镀金的嫩黄色窗帘上。就那么一天又一天！喝不完的咖啡，吃不完的美食，饮不尽的琼浆玉液，看不完的悲、喜剧。你的头发盘起来，很整洁，也很多余。完全没有必要。

你一个人，在每一个夜晚——在相同的光线中，创建不同的夜晚。每一夜，金碧辉煌的剧院里只坐着你一个人，墙幕中的投影舞台上只上演瓦格纳歌剧——每天一场，你就像不幸的路德维希国王那样，死盯着前方，独自听戏。

你一个人，画了很多画。你也不知道每幅画里的人是有趣还是无趣的——你没有见过他们。你也听说了外面的饥荒与战争，荷枪实弹的军人迈着懒洋洋的步伐，穿过街角，懒惰的市民除了为吃饭穿衣发愁，也得考虑明天醒来时，有没有什么核冬天。你不知道自己所住的城市叫什么名字，因为城堡一直在飘移。有一次，你相信到了一个富庶的地方，外面一片嘈杂，人们没日没夜地跳舞，很累，但很快活。

你一个人，经历了所有的年代。很累，很累。

你一个人。

你的城堡究竟有多大呢？也许，你也不知道，说不上来。你已经在里面钻过每一个房间，抚摩过每一座烛台。据说，你还不小心被一幅滑落的油画击中，好几个月都下不了床。你在里面睡过数不清的夜晚，也许，有上万年了吧？你在大得几乎填满整个房间的床上躺下，被窝里留着你的体温，你对梦的渴求。

你对梦说了些什么？没有任何文字记载。关于你的传说，也多是怯弱的谎言。你的梦呢，没有任何人听你亲口说过，人们仅从你残留的诗句中想象过，朦胧的月光照着窗照着你的脸庞，你向梦伸出双手，泪顿时化作洁白浑圆的珍珠……

世上竟有这样古怪的宿命！如果要问起你的过去，就去撬开那一粒再也不肯开口的贝壳吧！它已吐出珍珠，再也不愿聆听任何诗句，昔日早已沉溺在浪潮中。

传说中，你的相貌无人可及，你写下的诗句连最好的诗人都不敢拿去诵读！你在城堡里四处游荡，成日醉醺醺的；你手里的那一根金色丝线穿进那一个圆圆的针孔，修补着窗帘上压根就不存在的小裂缝；你手抚胸口，追逐狂风，在窗边歌唱。这唯一的城堡啊！多少辉煌多少华美啊！可你却直立窗前，向遥远的天边哭着喊着，祈求诸神放你出去，你说，你想离开！你想要自由！

诸神不可置否地一笑，说，离开这里，你会死的。

你颓然地回到房间，关上门窗。你望着城堡外的沙湖，你看到了沙湖里的航道，那岸边摇曳的草和露珠，都比你自由。你渴望光着脚逃出去，到那结满赭红色浆果的山路上去，到那芦花开满旷野的夜色中去，你渴望逃走，逃出你的宿命。你愿你的渺小存在能够打动诸神的心，你不想在这里终老、死去。你想要一场肉身的革命，灵魂的逃离。你累了乏了，想找一个别的去处，你从光线中早已看出，无穷无尽的色彩藏于其间，你明白，一定还有别样的光线，别样的色彩。

谁能相信，就在今夜，你心中记起被烈火焚烧过的庞贝古城，你终于冲着宇宙深处，发出了嘶吼，你说："来吧，命运！我不怕毁灭。"

诸神不语。你望着你已经陪伴了无数年的这座古堡，决定逃亡。没有你，这城堡也将倒塌，成为废墟。哪有什么不朽的废墟？你冷漠地笑了，废墟就意味着彻底的毁灭。

就在今夜，你将飞离这城堡，没有人盯着你，你精心策划，从容离开。你给自己安上一对翅膀，在腰间佩上一柄短剑，你还写下一首诀别诗藏于袖间。你要让世界知道真相：为了逃离那可悲的宿命，你已经隐忍了上万年。你期待着遇见天气骤变之前的卷云，云能流浪多久，你就能流浪多久！如果你死了，黎明也将一动不动，一起死去。

你还带上了可口的咖啡和松饼，那是为日后的夕阳准备的，那也是普通人家餐桌上最常见的！还有一瓶绚丽多彩的颜料盒，被你藏在密封的内衣口袋中，等你自由了，你要尽情描摹自由的模样！沉默的你所带上的最后一样东西，是一瓶毒酒！若是被诸神拦在路上，你就喝下它，你情愿粉身碎骨！至于后世的哀叹和凭吊，你毫不在乎！一切兴衰，一切历史的摹本，都只是你视野中的一个界面，你存在于最初的历史中，你从那时起，就没有离开过城堡。你的身上有沸腾的火山，有熔浆迸裂时的能量，你的心比宇宙还大。凭什么命运只将你囚禁于此？啊，不公的命运，命运！

据说，你就那么头也不回地飞了出去，砸碎了窗，砸碎了次日的光明。月影下，轻风中，你飞离了城堡。就在那一瞬，整个世界发出"砰"的一声巨响，如同天崩地裂，而后又复归寂静。

你就那么砰的一声，消失了，你化作了"虚无"。那一刻，人们停下来开始思考，为什么看不见万事万物的形状了？只有啼哭的鸟儿落在你的窗台上，颤抖。

诸神说得对，离开那座名叫"孤独"的城堡，你只有必死的宿命。

其实啊，谁都没有注意到，你压根就不是一个人，在你身上，绑着另一个人。

你就是爱。

——写于 2019 年 9 月

梦想

一

梦是一个奇迹。

人时常处于梦中。什么是梦？什么是梦醒？我曾经梦见自己与生俱来的眼角细纹静悄悄地爬进酒窝……那是什么时候的事？在我尚未老去的时候，难道我就梦见衰老了吗？醒来时，我笑着，用食指摸摸酒窝，多么夸张啊，我在白天时，只知道酒窝里溢出的是欢笑，我无论如何也想不到，吃吃地笑啊笑啊，总有一天也会笑出皱纹来……这个梦在我心里盘旋了好几天。

我从梦里离开时，能记住的，都很像曾经见过的事物。一条走向山坡的路，旅途中的午后闲云，一样的云，不一样的漂浮，那些刹那间映入眼帘的景致，既熟悉又陌生，云天之间，阳光弥漫。我甚至嗅到过刚蒸熟的银丝卷的甜味，但那甜味转瞬即逝，我听见下不完的雨声敲打着哪里，我看见字迹清晰的路标，刻着没有意义的路名，在雨中一闪一闪，犹如一束电光。梦采集各种信息，糅杂各种情绪，一块小蛋糕，一把小咖啡勺，花香、鸥鸟，岸边的草，全都可以入梦，一个人，两个人，无数人……只要人的感觉没有丢失，梦里的眼睛会越过记忆围栏，看见童年时的玫瑰树、桃树和青松、绿柏，梦里的耳朵听得见拨浪鼓的叮当声，还有唰啦啦的雨水声，我在梦中也感受得到那湿漉漉的雨和润泽。真的，梦要是没有声音和颜色该有多乏味？梦中那些没有意义的字母组合，路牌上的路名也有各种颜色。雨水在梦中晶莹透明，天空有时呈现蔚蓝色，有时则是灰蒙蒙的。梦里也少不了惊恐和悲伤，有被追到悬崖时的尖叫，有迷路时的六神无主，还有突然休克时的"垂死挣扎"。梦里还会遇到生活中见过的人，喜欢的，厌恶的，爱的，恨的，我们在梦里清楚那是谁，醒来却发现，梦里的脸庞不大真实。

梦是存在。梦的世界无法触摸，却毫无疑问是存在着的，人人都会做梦，都在说梦，梦模拟生活场景，使记忆多了一个去处。但梦又仅仅是梦，只有很少的记忆能钻进梦的空间。即便"日有所思"，我也很少"夜有所想"。不是所有刻骨铭心的人和事都能入梦。有的梦或许要等一辈子。有些悲观的人说，爱情就像一场幻梦，因为爱情与幻觉一样，恍惚时在，清醒时就不见了。爱的确很像梦，我曾经梦见失去一份未及珍惜的爱，醒来时依然感到心头堵着巨石，感到疼，仿佛听见飒飒的风声在耳边呼啸。玫瑰在梦中未必隐喻夏天和美，也许只隐喻被刺痛的肌肤。梦中的冬天也许只隐喻了一团无法燃着的炭火。

梦的主人是做梦的人。我经常梦到自己，梦里的视角总是我的视角，但我很清醒，在梦里，我没有"自我"，我也不怎么在意"思想"，我从来没有傻到在梦里寻找完美。我从来没有在梦里见过苏格拉底。

我的过人记忆力总也抓不住梦，我只是听凭每一个梦，在醒来的清晨里溜走，我有时向梦挥一挥手，甜甜一笑，梦便悄然退下，留给我浮想联翩。我有时对梦说：原谅我不再寻访你，我太忙了，过些天吧，过些天吧，我们也许又能重逢了。

梦构建一种没有命运的生活。

可就在刚才，一个重复的梦境刺痛了我，闪亮的、星星般跳动的小火光占据了梦的空间，那火光非常模糊，似乎并不存在，但它的确在动，在闪，它会动，这的确证明了梦的存在。我使劲地揉搓双眼，小火光消失了，我的记忆潜回梦里，开始追逐那一团微小的、星星般闪动的火光。

这不过就是刚才的梦。一缕微风，一束阳光，一朵蔷薇花，我的知觉恢复了敏锐，我猛地发现，这不正是我年幼时常常拥有的梦吗？莫非，梦在诠释孤独，抑或在诠释某种必然性？否则为什么在我想要忍受自己的迟钝与悲观时，这火光又出现了？

有时候，再现的梦很像一场重逢，如同大地与琥珀的重逢，在一块雕刻着古远生命秘密的半透明琥珀中，被囚禁的昆虫躯体与被囚禁的往昔同时显现。被遗忘的声音，被忽略的爱，就那么回来了。

二

世上还有另外一种"梦"。它不是人类睡眠活动的产物，它不是幻觉，而是人在清醒时念念不忘的一种愿望——梦想。梦想与梦不一样，梦在睡眠中发生，人们对梦只有解释的份，可梦想的实现与否，在于人们清醒时的所作所为。

我们是什么样的人就有什么样的梦想，从梦想的角度看，它只希望自己拥有一件温暖的外套，有些地方的冬天实在太长了。梦想讨厌听天由命的人，他们就像我在水族馆里看见的企鹅，被困在一片灯光黯淡的地方，供人排队欣赏，再无自由。可是企鹅能对这被幽禁的命运做些什么？

梦想最爱那些不切实际的家伙。为什么人们的愿望缩小到只顾一己之私？为什么野心家控制了世界？为什么宇宙间没有了真正的"美梦"？那些借"梦想"之名败坏道德、毁坏世界的行为和人，梦想嗤之以鼻。只有那些不切实际的智者才有永不枯萎的梦想。我以为，这类"忘我"的梦想只存在于个别人的愿望中。譬如那位一辈子都能准点散步的哲学家康德先生，烧得一手好菜，笃爱自律、自由，顶着"教授"之名却长期未能发表学术著作，谁能想到，他熬了很多年才得以出版的"三大批判"小册子，一问世就轰动了世界。他的关于人类"永久和平"的梦想，就像死寂舞台上突然响起的鼓声，让一场失去激情的大戏，叮叮咚咚地续演下去。

加缪———一个闪亮的名字，他的文字记录着眼中所见的不可抗力事件，那些战争、废墟、灾难……他也写下关于夏天和贫穷的美轮美奂的文字，他写梦想。世界若能保持一种"均衡有序"的美，该有多好！若所有人都来建造一个孩子们不至于受苦的世界，该有多好！

还有那位对女人和婚姻都不怎么"友善"的叔本华，他的梦想不怎么讨人喜欢。通往未知的门敞开着，也许这不仅仅是门，也是道路。那里没有寓言，没有结局，他希望世人接受悲剧人生的现实，善待命运，进而摆脱欲望，不受权欲之奴役，不被他人目光所折磨。

我们的唐代诗人杜甫，自己过得并不好，却还惦记着马路上穿不暖的可怜人！一句"安得广厦千万间，大庇天下寒士俱欢颜"的感叹，让多少后来人泪湿衣襟……

这些偶然地出现在历史中的好人，皆以"无我"之境"安顿"着全天下人的幸福，这样的"无我之境"也包含了他们最为切实的个人幸福。

还有一些不幸的人，为了梦想而失去了生路。前些天，俄罗斯入侵乌克兰之后，一位年仅二十七岁的乌克兰数学家 Konstantin Olmezov，在两次试图离开俄罗斯受阻后愤然自杀，留下了一封震惊世界的遗书。这个毫无疑问地活在梦想中的好人，心上落满尘埃，痛苦到一分钟也不肯再苟活于世。他能不痛苦吗？他想用自己的聪明才智造福人类，可是到头来发现，他的数学和他的创造力都没有价值，他发现这个世界不值他的努力，人们说假话，容忍恶权、恶行，"最可笑的是，大家还相信，凡事可以通过武力来实现。通过残酷地破坏生命，可以让人们忘记他们眼前发生的事情。让每个人闭嘴，可以让思想窒息。这似乎是政治学或心理学领域的东西，但其实不是，它存在于文化中……失去自由对我来说比死亡更糟糕。在我的一生中，我一直在努力争取在任何事情上都有选择的自由，无论是食物、职业、居住地，还是用什么肥皂洗手。"这位数学家的梦想即为自由，这个世界辜负了他。实现不了梦想，他情愿去死，这是这个世界的损失，他倒没有什么损失，在那边，他可以奔跑在自由中。

我为他的选择感到难过，他判了自己死刑，在该死的独裁者们都还没有被送上审判席的时候！现在，他不用担心被胁迫的命运了！他的遗书可不是一堆梦话，清醒着呢。为什么不能再"苟活"几天呢？还有明天啊！

不能，他大声地说。这是一个一直没有失声的人——直到最后一刻。他的声音——是加缪的，是康德的，是梦想家的，也是他自己的。

人们总爱找理由屈服于强力。没有梦想的人只能盯住目力所至之处。作家倘若不能再吐出一个新词，他的笔就会化作尖刀，刺穿桌前的白纸，和他已然不再跳动的心脏。画家呢？倘若再也不能发现新的色彩、新的形状，绘笔就只能折断在缪斯女神的手中！他只能停留于现在和过去的一点生活小细节，他不敢想象未来。

人类的"永久和平"也是这样的一种未来，如果不敢想，不能相信，人们就会屈服于现实的丑陋。这种屈服，就像人饿了渴了，找了好久，却跑到地狱里住下了，简直无可挽救。无法平息的，只有罪恶感。负罪，沉默，老去，死掉。

最近还有一件与自由有关的事。上海这座我挚爱的城，突然间"性情大变"，采取不顾民生的"清零"抗疫模式，权力的蛮横无理在这里上演了一场"大炮打蚊子"的闹剧，上海人的公民意识自然强于其他城市，因而，呼救和抵抗的声音也最为强烈。许多市民忧心忡忡，无法平息内心的怒火。为了政治"清零"，普通人最基本的生存权都被"上面的权力"牺牲了，连感冒药都不能自由地买，这算什么事啊，一声令下，家门被封，街道被封，哪也去不了，有病看不了，还不止呢，"上面"派来的人可以撬开不肯开门的居民的房门，入户"消杀"，强制将人"转运"走，种种侵权奇招令人怀疑自己的眼睛进了迷药，这是什么样的年代？一个人在自己家里都得担心随时被"转运"？在这种状态中，市民活得像囚犯和逃难者，毫无尊严可言。所以，归根结底，学会囤货不是重点，重点在于需要建造一个没有恐惧、尊重人权、无须囤货的民主、文明社会。有了自由，才能保证永远有饭吃，永远有安稳的床可以入睡。有了自由，你的家才成为真正的家：只有经你同意，别人才能踏足。

德国诗人布莱希特写过这样的诗："要做到当你离开世界/不仅你是好的，而且留下/一个好世界。"那位年轻的乌克兰学者离开这个世界时，他的确是好的，是未放弃梦想的，可他并没有留下一个"好世界"，这个拒绝被打败的人，只留下一个关于"好世界"的梦想。啊，一个好世界！

三

我已经好长时间没有写下一个字。事情那么简单，每个人都有权自由地进出自己的房子，无论怎样，每个人都应该有一张可以自由地打呼噜的床铺，没人可以强迫他到任何别的地方打呼噜，事情就这么简单。关于这些再简单不过的事情，还有什么需要澄清的呢？啊，一个好世界！

我已经好长时间没有写下一个字。我的文字被心甩掉，落到了梦里，梦里的那团小火光扑扑地撞过来，还没来得及发生什么故事，梦就跑了。晨光洒在枕边，我突然想起了那一个词。

一个好词……

——写于 2022 年春

雨季已过

那是雨季过后的初夏，也许还是晚春。当记忆的闸门打开时，细节有些模糊，但喷涌而来的情绪却使人瞬间恢复敏感。

只记得那一天骄阳似火，学校里本来也并非绿树成荫，只有稀疏的几棵树在灰色教学楼旁垂首不语。我那时正上初三。

从乌山小学毕业时，一向成绩优秀的我在升学统考中意外失利，踏进了这所学风严谨的"非重点中学"的大门。入学第一天，教语文的班主任作了简短的自我介绍："我姓李，叫雪中，雪中结冰的'雪中'……"

他看起来蛮结实，身高大约有一米七五，戴着一副普通的近视眼镜，一双眼睛明察秋毫。他站在讲台上，很认真，很投入，每当黑板上响起嘟嘟嘟的声音，我就知道，他又开始建造他的领地了。雪中老师也是一位兄长，带着我们走一段人生的路。他刚从师范学院毕业，充满活力，我们都喜欢他。因为年轻，他总想显得老辣；因为善良，他总想显得严厉。

他连续三年担当班主任，陪着我们奔跑、长大。哪个孩子不肯交作业了，家里有什么困难了，哪个孩子与其他老师闹起别扭了，他都没有装聋作哑。所谓的"苦口婆心"，如果用来形容他那么一个刚毕业的人，说实话，也挺恰当的。在印象中，他谈起名著时有滋有味，他鼓励我们追梦……真的，那个时候，晴空属于我，我眼里只有无尽的时间啊！他还鼓励我们如实写出与生活情感有关的真实，他是一个爱惜生活的人！但他很少谈起自己，即便有调皮的同学偶尔起哄，他也不过微微一笑，我们只隐约知道，他或许是"苦孩子"出身，但究竟有多"苦"，我们一无所知。他只在大声朗读和讲解课文的时候，才会倾泻浓烈的个人愁绪。

当年初考失利，到入学后我就忘得差不多了。三年过去，我顺利地担任副班长，与高班长和大多数同学相处融洽。班长和副班长的主要任务就是在活动中多跑跑腿吧？新年活动很简单，在教室里包包饺子，嬉笑一番，再"转移"到班长家中煮饺子吃，一群人吵吵闹闹，几乎把他家的锅全都"煮坏"了，"运送"饺子时，万一不小心掉到地上，便恶作剧般地拣起来，饺子上粘着的白花花的面粉就留在了狭窄的石板路上。如今想来，已经很久没有吃到那么美味的饺子了。那时候的快乐和忧伤都很简单。今年，我在微信朋友圈分享过一首歌：《你是我的眼》。意外的是，初中班上的翁同学在这条消息后留了好长的一段话，夸我那时眼神好，虽然没有近视，却能帮助近视的她。我既感动又诧异，竟然有老同学记得我当年的近视与否呢！我其实也没有忘记，这位近视的同学曾在学校附近的家中，抖抖索索地，帮我包扎受伤的脚踝。那时，几个小女孩下课后吵吵嚷嚷，到学校附近的僻静地方"探险"，若被野草或碎片磕伤哪里，倒也不奇怪，在陌生的地方，人总也不免受伤。可我究竟是从哪一年开始近视的呢？一定不是初中吧？

那天下午，眼神特别好的我却看不清班主任的脸。我抿着嘴，望着侧前方那几棵曾对我轻柔细语的校园老树，老树背后，卷云不再显得气象万千。李老师的说话语气显得极为严厉，仿佛在竭尽全力地发出声音，他试图唤醒处于"迷糊"中的我。要知道，李老师满意我的成绩、自律、作文，一向对我笑容可掬。老师，请理解我啊。

学校前几天发了通知，对一批各方面"达标"的学生予以保送同校高中部，请保送生尽快登记意愿及填表。我也在名单之列。我们学校的初中部"声名显赫"，但高中部"形势严峻"，能考上好大学的少，我的同桌与我相约，等我考上好大学的那一天，她要买只烤鸭送我以示祝贺。通知下达后，我如坐针毡，初考考场上莫名其妙的失利在那一刻突然重回记忆，出洋相的时候到了……我感觉有什么怪兽在等着抓我。

我觉得自己本是个自足的孩子，学校附近的小贩叫卖声，青石古巷中的一路哼唱，雨天的茉莉花香，夏日的蝉声鸣叫，无不令我心生欢喜。我能辨别出这棵树和那棵树的影子，我听得见露珠滴在花叶上的叹息声。我喜欢悠闲又灿烂的阳光，那种美妙自然的感觉何其恬美！我曾经在乡村度过童年，留在记忆中最诗意的，并非书声琅琅，而是拨浪鼓的声音，它比大江大海的咆哮声还要叫人难忘。拨浪鼓是由一面连着鼓柄的小鼓和两侧的弹丸做成的，当我们摇着鼓柄时，小弹丸就敲击着小鼓，发出"叮叮咚咚"的声音。货郎们来到街上时，我记不住他们南腔北调的各种口音，但那拨浪鼓的叮咚声，真好听！货郎们对不买东西的孩子倒也不苛责，遇到耐心的，还会向孩子们介绍货郎架上的小物件，我见过装有银色缝纫针和彩色缝纫线的圆形布盒。

拨浪鼓那不同寻常的清脆的声音，随着童年的消逝，随着我从乡下进到省城读小学，消失了。我不是一个特别能怀旧的人，但我毕竟是从童年走过来的啊。

我不知所措地站在李老师面前，啊，童年！为什么在这或许"改变命运"的一刻，我想起了拨浪鼓的声音？它的声音在我耳边钻来钻去，提醒我，我早已远离了与它有关的那一切。那么，我是否只渴望挣脱束缚呢？亲爱的生活，请赐我无忧无虑吧！我不想经受等待在前的无端失利了，我再也不想经受准点踩进考场的紧张和孤独了……我甚至想好了如何同父母"摊牌"……不久前，我还在江苏《少年文艺》上发表过作文呢！李老师念给同学们听过，隔壁班的语文老师告诉我，李老师兴高采烈地将此事讲给同事听。他应该也会理解我吧。

但他非但不理解，反而十分生气。这才有了那个午后，我又听见了拨浪鼓声音的那个午后。

李老师略带一丝沙哑的声音富有奇异的穿透力，我只不安地瞥见一丝阴云，从他的脸上浮起。

他先是不动声色地问我，为什么不愿参加升学考试。我没敢吱声。我们这座城，气候潮湿，温暖，可是，如果此时下雪，老师啊，你就会看到，我的心里或许装着一个冬天！

我害怕失败。我不喜欢失败。

我的沉默似乎激怒了李老师，他大声地质问道，你成绩那么好，为什么不愿意试一下？！

我不喜欢失败。

我一动不动地站着，远方的卷云向我游过来。李老师加重了语气，在空中挥起双臂。他的声音与午后的宁静不怎么协调："这样很可惜的你知道吗？你一定行，一定行的！你会考上最好的高中！！最好的大学！！！"

他的语气很重，不假思索，不留余地。我的眼泪开始蓄积，落在记忆中的小拨浪鼓的鼓柄上。我的感觉很糟，周围的一切都陷入了沉默。李老师仿佛看见了遮蔽我心灵的无形之物，不再"训斥"我。但他没有放弃，而是主动联系我的家人，让我再"想一想"。他对我父亲说，我一定会考上最好的高中。我，真的可以吗？按现在的流行话语来讲，他对学生们的那番爱护多少有一点"政治不正确"。那时的他，既善良又意气风发，如果不对学生说出真话，他于心不忍。

我后来以很高的分数考入一所"重点高中"，然而，得意的心情难以长久，在高一时，我又一次"马失前蹄"，无法适应新环境，遭遇到从未有过的学业困难，心情压抑。委屈，懊恼，无法被了解，只有等到晚上时，才发现头顶的星星也在生气……记得有一次，李老师邀我为"非重点初中"的学生作演讲，讲一讲当年的"学霸"如何考上"重点高中"。我尴尬又坚决地拒绝了，我没有说出原因，他也没有问。

我没敢告诉他，那一年我并不开心，因而没有多少骄傲值得陈诉，我的心蜷缩起来，不知道如何敞开。若是没有考试，世界啊，我该有多么爱你。说起来，"值得骄傲"这件事并没有世俗直尺所界定的那些庸常标准，但我们每个人都需要经过很多年才能终于理解这一点。当我们确定欢乐之源时，常常忘了在本能驱使下沿着玫瑰山坡奔跑的一次次大汗淋漓，我们总在平庸意念的暗示下走进与己无关者的目光。

放假时，我和至今还是挚友的高班长，应该还有其他几位同学吧，那时在学校附近住着好几位平时联系较多的同学，我们结伴去李老师家。美丽娴静的师母给我们倒水、倒饮料。离开后，大伙各自回家，我眯着眼睛走在熟悉的街道上，什么花在开，什么花在睡着？我什么都不知道，只看见树荫下的阴影，我忍不住哭了起来，泪水像扑面而来的雨丝，我为自己辜负了老师的殷切期望而感到难过。

李老师后来离开教育系统，去追逐新的梦想。据同学们和相熟的人介绍，他在新的职业生涯中依然极其热心，依然果断又及时地向别人伸出援手。

他可不是在"雪中"结成的"冰"，他是"炭火"。

李老师在微信上告诉我，他还存有我们当年送他的影集。"我还留着你们少年时的那些相片。"他说。我不敢恳求他，能不能扫描给我们看一眼？因而至今也没有看到那些相片。

长大后的我，习惯在家庭与事业中感受生活的惊喜与色彩，世界上发生的事情多得我看不过来，我的精神漫游也成为生命中至关重要的一道风景，远山，彩虹，地平线，忽远忽近，年少时的惊奇不曾远离，我曾经感到模糊的画面变得清晰。而且，由于自幼喜欢阅读的缘故，我的沉思、写作都逐渐成为习惯，我习惯了充实而宁静的生活状态。在校时曾经有过的短暂的学业黯淡以及曾经为此遭受过的冷遇，都没有改变我的天性，反而使我更加珍爱所得。我考上大学后，同桌果然买来油酥酥的金黄色烤鸭，两个喜欢美食的女孩就喜欢那么与众不同……

我也设想过，假如当年的我未能考上好高中会怎样？也许会有不同的际遇吧，也许就考不上好大学了吧，但我相信，无论如何选择，我都会从李老师的绝对信任中获得久远的快乐。我也定然会将这份所得勇敢地交付给亲人、朋友以及这个世界。因为"信任"的魔力就在于"信任"本身。

李老师的信任里藏着祝福，它就带有魔力，教我辨认自己的心灵轮廓，那里的树枝也许柔弱，也许色调单一，但也可以在充满阳光和雨水的四季中，迎风飘动。人生最温暖的回忆，莫过于此。

事实上，无论是求真，还是求知，无论是回忆还是习惯，都难以驱走我心中的存在疑团，这也使我有时候极其渴望在一个恰当的心灵空地中，寻找比誓言和理想更为纯粹的事物。如果让我选择一句话，向李老师介绍后来的自己，我会认真地告诉他："我与时间同行，我并未徘徊不前。"

　　——写于 2020 年初夏，修改于 2021 年加拿大感恩节前夕，发表于《中国作家网》"芦苇的作品集"

声声不息之《加州旅馆》篇

我常觉得，音乐比文字更细腻，音乐的流动是看不见的，却像涓涓细流或奔腾不息的大海，洗刷着苍白又敏感的心灵。集体的狂欢，一代人的创痛，或许一本书难以写尽沧桑，而一首歌瞬间就能表达大众情绪，失去的，得到的，爆发似的释放，释放后的沉默，像有一双温柔的天使之手，抚慰着时光的流逝、历史的伤口。《加州旅馆》（Hotel California）便是这样的一首旷世经典。人活着，需要歌声。

上个月，老鹰乐队的格列·弗雷去世，神秘诡异的《加州旅馆》（Hotel California）又开始盘旋在我的脑海。这首歌创作于1977年，正是美国物质主义极度盛行的年代，奢靡和艳俗就像无处不在的空气，穿梭在人们的呼吸中。

六十年代的美国经历了战后理想主义色彩浓郁的激情岁月，安定和平，让世界充满爱，是那个时代的返璞归真。进入七十年代后，各种社会问题，如经济危机、越战泥潭以及水门事件等，让人们变得急躁，迷失了方向，似乎一夜间丧失了可以给精神充电的能量，颓然老去。敏感多思的创作者希望藉由艺术的辛辣刺痛社会，召唤生机勃勃的摇滚精神，进而找到人最本真的快乐与自由。的确，还能怎么办呢？如果没有对艺术的试探，人的精神自由就会日渐萎靡，像散发着腐臭气味的过期水果。

获得有归宿感的自由，就像在茫茫大海中发现栖身之岛，身心俱安，不至于随时被淹没在惊涛骇浪中。

在大学时，我第一次听到这首歌，爱若珍宝。此曲只应天上有，人间哪得几回闻！完美的吉他旋律像歌词中的迷迭香，让你一听到前奏就被吸引。音乐声一响，空气中立即燃起一团谜烟，越来越浓，化不开，吹不散。你甚至忍不住张开嘴、独自喁喁细语，任凭沙沙沙的风，吹拂心田。你愣在那里，挪不开脚步，你四处张望，想要探究这谜一般的旋律！平静而激荡的青春啊，请不要停下脚步！

歌声里的神秘、不甘、迷惘以及忧伤，与青春很像。

学校里有很多热爱吉他的学生，随时自弹自唱几句，粗犷又洒脱。喜欢弹吉他的女生，不需言语，就自带了缪斯女神的风范。喜欢弹吉它的清瘦男生，若戴副斯文眼镜，偶尔来几句悲悯天下的豪言壮语，便有点像约翰·列侬了——永远的约翰·列侬。

想象一个未来的世界。

吉他是个寻常乐器，却寄托着很多梦想，那些梦想与成为音乐大师无关，只与青春有关。和青春展开对话的，除了诗歌，便是音乐了吧！

《加州旅馆》的歌词带有浓厚的象征色彩，每个人都可以根据自己的生活经历，对歌词中的双关语和暗喻进行解说。几十年来，关于这首歌的争论从未停止过。即使原作者澄清了自己的理解，许多歌迷依然置若罔闻，他们相信，只有他们才听得懂这首歌。这很荒诞吗？不。唱完一首歌花不了多长时间，但歌迷们在这短暂的爆发中所换回来的，是并不短暂的痛苦、纠结。

这一经久不衰的歌坛趣闻也足以证明，这首歌被歌迷赋予复杂又丰富的情感内涵。

作为流行音乐史上最具文学特质的作品，它的听众据说有上亿人。

"抬头遥望远方，我看到微弱的灯光。"从歌的开始，就已经预言了加州旅馆的秘密。这开头很像结局。这微弱的灯光，也许只是幻觉，也许确是眼中所见。但你可要清醒一点！如果你把这一瞬的微光当作前路，等你到达的，或许就是深渊。

"她在门口那儿招呼我，我听到远处教堂的钟声。我在心里对自己说，这里可能是天堂，也可能是地狱。"歌曲继续铺展像谜一样恍惚的画面。"我"的困惑源自内心：不敢留下，又不甘离去，遇见天堂或地狱莫非都是命中注定？

"欢迎来到加州旅馆！如此美丽的地方，多么可爱的面容，他们在加州旅馆尽情欢乐，多么美妙的惊喜！"是的，黑暗里的幻象如此美好。多少时尚，多少惊喜，不可知的香槟度数，难以辨识的人间美味，你被推下夜的深渊。你喝了喝甜美的香槟酒，吻了吻可爱的红嘴唇，你或许真的醉了。灵魂和痛苦也同时从你身上溜走了。

"有些舞是为了回忆，而有些舞是为了忘却！"你呆到很晚，很累，只好坐到角落里，看别人笑。舞步散乱，每一步仿佛都在问：为什么？这是为什么？问号中保存了很多眼泪，留给明天。

"她说我们都是这里的囚徒，但我们都是自愿的。"这就该是"加州旅馆"的真相和终局了。

原来，一切囚禁都是自愿的。谁可以把自由关起来？

"我跑向门口，我必须找到来时的路，回到我过去的地方。"回到最初，从来都只是一种执念，岁月的一路狂奔像河流，从不为任何人稍作停留。谁曾见过倒流的河水？谁曾见过从前的自己？

这些内涵深刻的句子，伴随着沧桑迷茫的曲调和后无来者的极致和声，制作精良，无懈可击。仅仅用几分钟的时间，就打造了一幕让人千回百转、欲罢不能的电影场景。

有人说，听懂了这首歌就看懂了那个年代的美国，或者说，只有看懂了那个年代的美国，才能听懂这首歌。

《加州旅馆》如此出名，很多人都相信这个旅馆真实地存在着。许多的版本，许多的杜撰，自圆其说。尽管提及加州的歌曲非常多，但没有哪一首能与这一首相提并论。多年前，我第一次去加州，当车子行驶在高速路上时，我看得十分仔细，不想错过窗外的每一辆车。有的车里传出嘈杂的歌声，我一下子被那急促的节拍震醒，还来不及琢磨那是哪首歌的旋律，就蓦地想起了《加州旅馆》。我的手机上存着许多歌，有的很老，有的很新。我很快找到这首歌，反复地播放。

每一个旋律，每一个句子，都幻化出一些似近若远的画面。

热带棕榈，海边的热辣美女，都并非我最渴望的加州，那只是南方城市常见的美景罢了。只有这熟悉又遥远的旋律才让我心中的加州变得温情脉脉。

这是加州，老鹰乐队的故乡，麦克·杰克逊的故乡；这是加州，曾经的摇滚圣地。

每经过一个乡村旅馆，我都在想，这是不是传说中的"加州旅馆"？

"加州旅馆"暗指人生的脆弱与诱惑。人在旅途，当然要手握方向盘，寻找方向和客栈。你走进什么样的客栈，遇见什么样的人，似乎命中注定。你似乎无法掌控一路所遇，然而，你真的无法掌控吗？当初在十字路口时，你本可以换一条来时的路；即使你踏进去了，依然还有机会离开。但很多时候，你还来不及作出选择，就被推近深渊，直到心甘情愿地跌下去。你懵懂地走过一扇又一扇的重门，一年又一年，你甚至不需要懂得任何意象与隐喻，就自然而然地懂得了感伤。这是时间教会你的。

而你所经历过、逃避过或热爱过的，都已或浅或深地流进你的岁月长河，成为你的故事、你的吟唱。《加州旅馆》的最后一句歌词耐人寻味："你随时可以结账，但你永远无法离开。"换句话理解，人容易受到各种诱惑，虽然随时可以决定结束，但无法真正摆脱（内心困兽），无法回到最初。

无论何时，走走停停，旅途上总有"加州旅馆"，她的美、她的谜、她的引诱与疯狂，都在夜的荒漠里向你招手。

"加州旅馆"其实不在加州，不在美国，它就在每个人的心里。

——发表于 2016 年 10 月《365 网络电视》"文学园地"

那样的月色太美太温柔？

世界上只有一个月亮，但东西方人眼里的月亮却截然不同。东西方文化的碰撞在月圆这天"撞出"奇异火花。

许多西方人觉得，满月之日令人感到狂躁、恐惧、失去理性。古希腊神话中的月亮女神塞勒涅就有着占有欲强、自私冷酷的性格特征。博学多才的古代贤者亚里斯多德敢于评判天下之事，他断定，满月使人疯狂。据说，在明月高悬的时候，幽魂孤鬼出没人间。西方文化重视精确、理性，崇尚阳刚之美，月相活动引发的自然现象令西方人产生了心理上的摇摇欲坠感。月亮长着一张古怪苍白的脸，一点也不善解人意，总是愁眉苦脸。直到今天，许多西方人依然认为，满月潜藏着不可确知的危险。

英语中的 lunacy 即为精神失常的意思，其词根来自拉丁文的"月亮"（luna）。满月高悬于天，给西方人的想象世界带去的，是奔跑在清冷月下的狼人、巫婆、嗜血的怪兽、发疯的女人等画面，与"邪恶""恐慌""暴虐"等词语密不可分。

月亮的阴晴圆缺和模棱两可，着实叫人难以捉摸，很像善变的爱情。当莎士比亚笔下的罗密欧在月下对着心上人发誓的时候，朱莉叶惊恐地回答道："啊！不要指着月亮起誓，它是变化无常的。每个月都有盈亏圆缺；你要是指着它起誓，也许你的爱情也会像它一样无常。"月亮，月亮，善变的女神，冷漠的心！

这样的情景恐怕要让中国人感到不解了。中国人眼里的月亮可比太阳有趣多了，哪个诗人没有为月亮写过几行诗？月下的山盟海誓让很多人的记忆永远激荡着爱的回声。如果没有月亮，爱情好像就少了一面镜子似的！当文学或影视作品中出现月圆景象时，男女主角就到了互诉衷肠的时候。多年前，有一位名叫张宇的歌手唱了一首歌，叫《月亮惹的祸》："我承认都是月亮惹的祸，那样的月色太美你太温柔，才会在刹那之间，只想和你一起到白头；我承认都是誓言惹的祸，偏偏似糖如蜜说来最动人，再怎么心如钢铁也成绕指柔。"张宇用阳刚的歌声演绎了一首极为阴柔的情歌，唱得非常到位。

瞧，恍惚的月光竟然能把钢铁般坚硬的心照得柔柔的，并由此生出白头偕老的念头，显然，这"月老"一词可不是空穴来风啊。哪一对恋人没有在月下牵过手？此情此景，一生一世……月夜的浪漫、魔幻令沐浴在东方月光下的恋人们如痴如醉。

若对比罗密欧与朱莉叶的对话，就可以看出，月亮给不同文化带去的不同心里投射，简直是蜜糖和砒霜的区别了。

中国传统文化视月亮为阴柔女性美的象征，月亮意象代表女人的神性，引申为对恋人、对母亲、对爱情及亲情的歌颂。据说，诗仙李白写过三百多首与月亮有关的诗。文人墨客与政治家们在人生失意之时，也总喜欢望月长叹。他们的人生失意多与科举落第、官场受挫有关，那时候，他们还没有机会探究什么是最合理的社会政治制度，只有"朝廷"才是他们实现人生理想的唯一途径，若被"朝廷"抛弃，他们自然就觉得报国无门，心如死灰。美梦成空的他们就转而寻找心灵的内在超越，他们寄情于大自然，问山问水问月亮，留下了很多精美的传世文字。当月光撒向人间时，千愁万绪在心中涌动，观月者以为，普天之下的人大概都与他们一样，沉醉于月下，而他们不为现实所理解之处，月亮完全理解。到了后来，如鲁迅这一代的五四思想者和学者文人，竭力想摆脱阴柔写意的"月亮文化"影响，希望再造华夏民族的性格，呼唤坚强意志与理性。

在中国，月亮崇拜的最高境界就是将农历的八月十五定为中秋节，即阖家团圆的节日。中秋节是一年中最开心、最浪漫的日子，也是一年中月亮最圆的那一天。此时，家庭成员或朋友们欢聚一堂，品尝满月形状的月饼。皮薄馅足的广式月饼，松脆香酥的苏式月饼，外形精美的京式月饼，甜而不腻的台式月饼，无不蕴含着一代又一代人对幸福的向往。除了月饼，还有其他点心、水果、佳肴。大人们喝着茶，吃着美食，观赏着圆月，孩子们则沉湎于月下的游戏和嬉闹。

皎洁的月光从遥远的星际照过来，如澄清的水流，漂洗着尘世艰辛。

中秋节一开始也只是个欢庆秋收的节日，与北美的感恩节有着相似的节日内涵，都为了庆祝团圆和秋的丰裕。后来，又有了嫦娥奔月的传说。据说，射下九个太阳的后羿得到长生不老的仙药后，交其妻嫦娥保管。不料嫦娥偷喝了仙药，结果升到了月宫，从此孤苦伶仃，只能肝肠寸断地遥望人间。善良的村野百姓在口口相传的民间故事中"杜撰"了一只玉兔，长年累月地奔跑在月宫里，陪伴嫦娥。据说中秋时的民间"拜月"习俗即源于这一传说。

提起满月，我的眼前还会浮现出古代的儿童坐在树枝上看月亮的情景。那树枝的形状与一座桥相似，仿佛走上几步就能登上月球。我也喜欢在夜深人静时打开窗户，观赏窗外的大银盘。我想，古时的闺阁女子，若是家有几位姐妹，定然会被满月光辉所吸引，一同聚于窗边，推开格子木窗，目光如水，笑靥如花，盘起的发髻如同一座座小山。她们窗前的高脚白瓷圆碟中，定然摆满月饼和各色点心。

憨笑谈话间，人月同圆。

古代的书生进京赶考哪有飞机可乘？只能靠骑马。考完一次再回到家要花上一年半载，甚至更久。为了去远方求前程，那些拜别亲人的游子将人生的精华时光遗落在异乡。鸿雁传书，骏马奔驰，梦里依稀故乡的泥土，都难以满足离家游子那一份对亲人、对故乡的思念。游子心中明白，到了月圆的时候，亲人们也一定聚在月下思念他们，想到这里，止不住泪流满面。

那些再也无法被超越的诗句记录了这样的时刻："床前明月光，疑是地上霜，举头望明月，低头思故乡。"

小时候滚花烂熟的背诵，既快乐又单纯，从来不曾深究诗人的心思。没想到，会有那么一天，我对着床前的银色月光，才又想起那些骑马的书生。他们走得不算远。

这些年来，中国人的足迹遍布世界，中秋节在海外也变得热闹起来。农历八月十五到来之际，在一些华人人口众多的海外城市的华人超市，月饼和灯笼隆重登场。越来越多的"老外"开始了解中秋节的来历：原来，一位长袖仙女曾经飞向月球；原来，月饼的圆与月亮的圆，是一样的。这种体验很特别。正如，当我读到西方文学作品中的月亮故事时，我并没有感到月亮被误解了。

我应允自己的心灵住进了两个月亮。是啊，月光流泻也藏匿着多少我不曾了解过的隐秘与哀愁！

写到这里，中秋节马上到了。抬头望着明月，她也在望着我。月中本无嫦娥、玉兔，月下本无狼人、巫婆，月亮就是那遥不可及的巨大岩石球体，千古不眠地高悬在宇宙的一处天空，那里没有风，没有液态水，没有空气。人类赋予月亮的生命和传说，与月亮一样，高悬在历史的夜空之上，圣洁与邪恶，忧伤与美艳，都在讲述人间的故事。正是凭着那不可磨灭的人类记忆所散发出的肃穆威严而又不失温煦的光辉，人们才驾着幻想之舟泊向神秘月亮。

——终稿完成于 2019 年中秋节前夕，发表于《中国作家网》"芦苇的作品集"

晨曦

当我睡眼惺忪地从帐篷里钻出来时，一抬头，那沉甸甸的露珠还挂在透亮宽大的叶片上，并缓缓地滑向天然石凳，溅起小水珠，像一颗颗璀璨剔透的宝石。

虽然星星早就不见了，夜还在挣扎。后来，晨曦追着光线，找到了我。我揉揉眼睛，不知不觉地走向林子，林子没有尽头。空气格外新鲜，小草和野花的清香让人心旷神怡。放眼一望林海，看不到边，笔直苍郁的树木被晨光抹上了一层神秘而纯净的色彩。树无疑是森林之魂，难怪老人们说，老树是神，识得人间烟火。

密林深处的每一棵树都有自己的名字，都有自己说不出口的奇遇。

在这里，我感受到森林的脉搏，听到大自然的回声，想象到海市蜃楼般的远古奇景；在这里，我也感受到这一片天地的不安与忧愁，谁知道这一动不动的老树见过多少担惊受怕的场景呢？昨夜，或是若干年前？老树的眼睛又藏在哪里？

也有几个早起的人同我一样，漫步林间。晨曦的阳光一点也不单薄，它裹着晶莹热烈的金色盛装，绵绵地穿过树林，落满枝桠。这样的晨，阳光追逐着一切：斑驳的树影，笔直的树干，粉红淡黄的夏花，扑闪着翅膀的多彩蝴蝶，牵着小狗散步的老妇人……

这种清丽的美，来自对夜的挣脱。

继而，小动物们也醒来了，在林间窜来窜去。调皮的小鸟开始放声歌唱，像孩子们那样追着晨光，捉起迷藏。我贪婪地吸吮着大自然的芬芳，伸出双手，任一缕缕淘气的阳光在指间蹦来蹦去。晨光中，我忍不住地张开嘴，哼起自己的曲调，我的酒窝刹那间装满金色的光线，卷发也泛起淡金色的光泽。

这自由的晨！这不受束缚的拥抱！

往前，听到一阵潺潺的水声。哦，这里的水和岸！水边的长木桩上长着蘑菇，造型和颜色都很像灵芝，弯下腰细细端详，它那初初长成的鲜嫩和骄傲，宛若一朵敞开的春花。

这条河不是很宽，水却很清。这里没有诗歌，诗句来了就会流走。只有大小不一、形状各异的石头，与顺流而来的河水卿卿我我，哗啦啦的水流声听起来格外纯净，纤尘不染。河水留下一长串的话，就流走了。当然，这些光滑圆润的小石子也不会永远留在这里，某一天，某一年，它们也会被什么力量冲走。

我发现了一个美景。小河的中央有一个貌不惊人的小小岛，由青苔、杂土以及石墩堆成，不费力气地屹立在溪水中。一棵不知名的小树吃力地从小土堆里冒出来，形状不怎么对称，反倒有一种随意的美。怎么说呢，长在这种地方的树，够难的了，它倚着黑土长成自己最爱的形状，它只愿意拼尽全力，赞美夏天！树上长满粉色的夏花，像木兰花，又不似木兰那么高傲；像野花，又比野花多出一丝矜持。

在夏日的清晨水边，在四周的成片绿色中，我眼里的这一树粉，竟然有了火炬般的热烈。河水也钟爱这一树的红，绕过小土墩，不忍打湿它。

我被这红、这河迷住，不舍走开。这河水不知已经流淌了多少岁月。无论外面的世界如何变幻，它都只顾着滋养森林。河水缓缓地淌过绿绒绒的石子，渗进我的心田，那里的尘埃不再，并且生出新的水流。

哦，远方！

  ——写于 2019 年夏，发表于《中国作家网》"芦苇的作品集"

旗袍

最近，我总想买件旗袍，可能是为了检验一下这半年的努力锻炼是否有成果吧。

旗袍像一个严厉的裁缝师傅，一把尺子就能量出女人身材的好坏。

今天晚上，我跑到旗袍店去逛了好久，没有看到满意的，有些失望。

说到旗袍，似乎它是独属于中国女人的专利。一个身材再好的白种女人穿上旗袍也难有风情。而中国的女人，只要穿上称心的旗袍，戴上精致的耳环，立刻就显得娉婷婀娜、婉约动人。

旗袍看似把人包得严严实实，实际上能够尽情展现身材，把女人的曲线美勾勒得淋漓尽致。旗袍的保守和热烈，含蓄和奔放，都恰到好处地展现出东方女子的气质。

小时候，有一次回江苏老家时，在一个细雨绵绵的傍晚，大人带我去看运河。

江南的小桥流水，有着水墨画般的意境。水里有几艘漫无目的的小船，悠闲地开着。

一个端庄美丽、笑容亲切的少妇打着一把油纸伞，穿着一身紧裹好身材的白底大花旗袍，手挽一个与我年纪相仿的小男孩，慢慢吞吞地从桥上走过。

她的丝绒旗袍看起来亮亮闪闪的，走路时旗袍就晃啊晃啊，像一只动感的蝴蝶在飞。而旗袍开衩处翻起的大胆和浪漫，就成了那座拱桥上最美的一道风景。

我当时十分新奇，因为在我生活的城市，很少看到大人穿旗袍。

那一天，那件华丽雅致的旗袍在油纸伞下跳舞，故乡的小桥流水在我心中也多出了好几种颜色。这太像一幅画了！苏南女子的风韵从此便牢牢地印在我的脑海里。

后来，每当别人问我籍贯是哪里，我总要"虚荣"地强调一下：是苏南啊。好像这么一说，我就可以变得和那个桥边的女人一样美丽。不知道为什么，她比画上的旗袍女人更让我喜欢。

长大后，经常去上海。当我看到有些上海女人敢把邋邋遢遢的睡衣穿上街头"轧马路"时，就不由得想起童年时在运河边看到的那个旗袍女子。

旗袍也挑人，如果身材不对，无论你如何收腹挺胸也穿不进去，只有你的尺寸适合它，才能挤得进去，穿出漂亮。挤进去了，还得顾盼生辉、仪态得体，或如大家闺秀，或似小家碧玉，才有韵味。

由于旗袍的普及，在很多庆典以及各种大大小小的活动中，礼仪小姐都穿起了旗袍，就连很多店家在招揽生意时，也让姑娘们穿上旗袍，站在门口吸引眼球。这一类旗袍的颜色都很艳丽，必须的啊，得图个热闹喜庆不是？因此，很多女人变得不怎么喜欢旗袍了，觉得旗袍俗气。

我记得，好几次去旗袍店闲逛时，仿佛看到礼仪小姐、车模小姐、空姐、迎宾小姐的制服挂在墙上，一点也找不到小桥流水边的那个江南女子的旗袍风情了。

正当我心里想着这些老旧的故事时，老板娘走了过来。她似乎看出了我的失望，殷勤地说："这些都是节日气氛比较浓的，我们还有一批新货马上到，你下周再来吧，有很多非常雅致的。"

我一笑，问道："有多雅致呢？"她熟练地说："现在流行水墨画一样的旗袍，就是把一幅水墨画印在重磅真丝材质上，非常耐看的！"

看她说得如此认真，我竟有些期待了。对于中国女人来说，旗袍实在是太有吸引力了。

——发表于 2013 年 4 月 11 日北美《侨报》"副刊"

126

我只爱你这一季

我曾听她讲过一个"季节征爱"的故事。

盛夏的火热开始迅速消退，日子一天比一天凉了起来。多伦多这个城市的夏季极其疯狂，只有七、八两个月像别处的夏天，但每一天都很漫长，到晚上九点了，天还不舍得暗下来，孩子们喜欢在户外"疯"到九点多才回家，这就使得这个冬天过于漫长的城市得到了大自然的补偿。

活泼的她呢，就像电影里那些不知疲倦的"超女"，野营，登山，攀岩，打高尔夫球，冲浪，样样都不落下。

等到秋天降临的时候，叶子一天比一天好看。一开始是淡淡的橙色，渐渐地，在与阳光和秋风的热恋中，叶子变成浓郁的橙色，后来，越来越多的颜色涌现出来：有鹅黄的、金黄的、赭红的、深红的、亮紫的、浅紫的，好看极了。还有一些越来越难以命名的颜色，每天都在变魔术，总之，数不尽的秋色包围着小镇，热闹非凡，她住的古街被季节染成了一幅锦绣般的画布。

他们的首次见面就约在镇上的一个秋色怡人的傍晚。风不急不慢，吹来一片火红的枫叶，不偏不倚地落在她的胸前，V型领口的皱褶接住了枫叶。他转动腰肢，伸出右手，迅速地将枫叶抓在手里。哇，速度快的人，什么都抓得住啊。

"这个季节真好啊，不是吗。"他的声音比电话里还好听。

"是啊，一个适合约会的季节。"她落落大方地说。

他老练地搂住她，吻了吻她的脸颊。两人亲热地走进了一家餐馆。

"你要来份法国蜗牛吗？"在服务生放下菜谱离开后，他低声地问。

"行啊，谢谢你记得。你真好。"她略显惊讶地回答道。

"我记住了与你有关的每一个字。"他轻拍着她摊在桌上的手背，温柔地说道。

她有点感动。看，他的温暖眼神简直可以融化一座冰窟！那一晚的法式蜗牛煮得特别嫩滑，一口咬下去，口中就留下了余味悠长的清甜，那几乎不能算作是蜗牛的味道呢！

不久前，她在网上刊登了征秋季男友的广告，秋初开始，季末结束。她收到了雪片般的回复，花了整整一个星期，才从中挑出三个候选人，而后分别与他们联系，选定了他。这种"季节性征爱"的俱乐部交友活动已经流行很多年了，年轻人藉此寻求一番刺激，体味一下面具下的爱情欢愉，不必考虑社会角色的束缚，无忧，无虑，无愁，开心地相处、游玩，体面地过一把爱情之瘾。上钩的鱼跑不了，而这些被"临时爱情"钓到的"鱼儿"可是自愿在水中缠住诱饵的。每个征友网站的具体规定都不同，参与者必须绝对服从游戏规则，确保各自的隐私、安全。

转眼就到了冬天，他们快乐相伴了一季。到依依惜别时，她送他到大街上，这才发现，晚霞染红了不远处教堂背后的天空，象征着收获的橘红色涂抹着那个黄昏。她欲言又止，终于还是不得体地问了一句："以后还能再相见吗？"他笑了起来，说道："真遗憾，亲爱的，我们都签了同意书的，时间一到，就互不相属了呀……"

随后，他吻了吻她的脸颊，便钻进轿车，绝尘而去。

她说，那时她想哭，却找不到任何理由，只有秋风不时地吹过。

我只好安慰说，别太难过，这心绪转瞬即逝罢了！至少这比"元宇宙"的玩法好，如果在未来的"元宇宙"里"捏"一个最帅的男人与自己"恋爱"，那感觉才更加"轻飘飘"呢！

不料，她摇了摇头，说："那样才好啊，今天'捏'一个这样的，明天'捏'一个那样的，不是更好玩吗？分开的时候，绝对没有伤感，我到时候一定要试一试的……"

"唉，谁知道呢！再说了，这难道不是从一个笼子进到另一个笼子了吗？"我随口应了一句。不知为什么，我仿佛听到"元宇宙"的嗤笑声："哈哈，我可抓住你们了，人类！"

她扑哧一声笑了。

我不知道她为什么笑。

——写于 2019 年 8 月

他乡

在 2012 年的《春晚》，费翔的一首《故乡的云》让人们再次沸腾。很多人一听再听，怀念起了自己的旧时光。费翔那历经沧桑却不失柔情的演绎的确是有魅力的。我也想起了学生时代看《春晚》被费翔歌声感动的时刻。

当年的我对于游子的心情是没有体会的，不过对华丽的文字和动听的歌声还是很容易产生共鸣的。"那故乡的风和故乡的云，为我抹去创痕。我曾经豪情万丈，归来却空空的行囊……"每每听到这句，未经世事的我也总是感动得热泪盈眶。哪个游子听了这首歌会不心酸啊！那些离开故土、故国的人，哪个不是一听见"故乡"两个字就落泪的啊！当时，我脑海里涌现的全是老华侨拄着拐杖站立于家乡桥头抹泪的情景。

学校里有印尼归侨老师，东南亚的阳光把他的脸晒得黑红黑红的。我一见到他，就想象着他在异乡的艰辛，就揣摩着他如今沐浴在家乡的阳光里是否感到满足。

也难怪，中国人的传统是不喜欢漂泊的，并将背井离乡视作人生畏途。古时候的诗人只要一提起乡愁，总是泪湿衣襟、仰天长叹。"少小离家老大回"的感叹是连五岁小儿都能背下来的古诗情怀。所以，我从小就认为，故乡是每个人心中最脆弱的角落。故乡的含义，就是所有外出的游子叶落归根的地方。

当年光想着老华侨了，没想到后来的我也背起了行囊、离开了故乡，定居在多伦多，成了同学朋友见面时调侃的一个诙谐称呼——海外华侨。而且，在我离开故乡多年以后，重温费翔的这首歌，并没有少年时代认定的那种必然落泪的冲动。

"故乡"这个十分飙泪的词，在长大了的我的心中，早已有了不同的感受。离开故乡并不意味着没机会亲近故乡，你甚至更有机会认识她、了解她。高科技时代的网络和电信的发达以及交通的便利，早已淡化了异乡人对故乡的思念之苦，取而代之的是一个新的"口号"：落地生根。

在多伦多这个国际大都市，世界各地来的移民实在太多了，多伦多的本意就是各种文化交汇之处。这座年轻的城市充满了朝气，你可以感受到世界各地的风土人情，不用害怕你开口冒出来的异国口音吓坏别人，大家都习以为常了。如果你想在这里吃到世界各地的正宗美食，绝对不是幻想。有人说，多伦多是海外最多外国人会使用筷子的大城市，应该也是可信度非常高的一种说法。

热情开朗的安吉拉是一位南美来的移民，在一个老字号公司担任经理，我和她因为工作上接触较多，因而比较熟识。由于都算移民一族，我们在一起时很自然地就会聊起移民生活中的趣事。她告诉我，她和老公的家族中已经有十几个人移民到了多伦多。他们这些人转了三个国家六个城市，最后选择了多伦多作为他们永远的故乡，其中好几个人都还正在租房子、辛勤找工作。

听到"永远的故乡"这几个字，我觉得心被轻轻拨了一下。我惊讶地问："你不怕冬天长吗，你这个超短裙控在这个夏天偏短的城市可怎么展现身材哦？你肯定吗，永远的故乡？"她用一种少有的宁静和坚定的语气说："瑕不掩瑜啊，我和亲戚们都是有故事的人，经过比较，我们都喜欢上了多伦多，就决定从此安居乐业在这里了，这就是我说的'永远的故乡'的意思了。"

那天，我们说话时是在户外，几乎是那年冬天最冷的一天。风瑟瑟地吹，高楼边上的树都秃了，冬日常见的阳光也躲起来了，前一天的雪已经结成冰，屋檐下的冰柱威武地站成一排，面无表情地盯着我这个来自南方的异乡人，一幅寂寥的严冬景象。但安吉拉那满足和恬适的表情却深深留在了我的脑海里，像一束冬日的阳光。

那时的我，初到异域他乡，喜爱、新奇和疑惑时时冲击着我，也经常考虑是否要常住下来，因此，我对她的执着竟生出了一丝难以言表的羡慕。一个人，能从容决定自己的故乡在哪里，能从容决定未来永远生活在哪里，这难道不是一件很值得庆幸的事吗？这种坚定带来的幸福感，就给人无穷信心了。

现在的人类，可以说是生活在地球村，故乡与他乡的界限也越来越小了。说起来，离开故乡到他乡开始新的生活追求，是生活中十分常见的。从一个城市到另一个城市，从一个国家到另一个国家，当人们被命运的车轮推动着改变生活环境时，比较得失已经不重要了。

人生的过程，无论哪一阶段，无论哪种境况，无论生活在哪里，总是交织着失去和得到的矛盾。做出何种选择虽是性格使然，但也只是漫漫人生旅途的一个偶然。真正重要的，是在已经选择的路上不断调整自己的脚步，随心随性，走出适合自己的精彩。

——发表于 2013 年 4 月 1 日北美《侨报》"副刊"，选入《他乡星辰——北美华语作家散文选》（云南人民出版社 2014 年版，杨宗泽主编）

流星经过的夜

夜开始深了，露营地里变得安静，黑暗越来越深。露营地分为两种：有电的和没电的。后者是为了营造一种纯自然的原始环境。哪怕是有电的营地，到了晚上，也几乎只剩下篝火和帐篷里的微光。

世界在夜幕中安静下来，人们低声说话，偶有小狗叫嚷几声，也很快停住。走路需要打手电筒。繁星升起来时，如果你在营地的空旷处抬起头，就会看到满天星辰在头顶闪烁。那些银白色的星星全都笑咪咪的，温暖又明亮。很多人想起宿营的乐趣时，常提及繁星之美，每一颗星都是那么小，那么远，那么耀眼。最令人陶醉的，还有流星。城市的夜空，即使在没有云的夜晚，也因为灯光和污染，使星星失去了传说中的童话般的光芒。

在上小学前，我住在一个依山傍水的小村镇。那时候的夏夜挺长，满天星辰挂在天边，看着我。我边跑边笑，边问，"你们这些星星，是哪里来的啊，我都跑了半条街了，你们还站在原地不动！"

我住的那条街对面，窄窄的竹林连成一片，那也是我的童年乐园。竹林就在闽江边上，从上游来的客船总能准点靠岸，汽笛声浑厚中不失尖锐。我家有一只忠诚英勇的小狗，当年竟然没有为它取一个名字，至今想起，仍觉遗憾。那时，人们喜欢随意地给小狗和小孩取个昵称，比如，"汪汪"就是我家那只褐黄色的小狗，"喵喵"就是邻居家的那只长着几根长胡须的黑猫，"小弟"是街上很多调皮男孩的小名儿，"小妹"是我。我和妹妹还有小伙伴们经常穿过竹林去守候客船，小狗跟着我们一群孩子，也显得很兴奋，身子晃来晃去。客船的造型挺不赖，稳稳当当的，像一座长了好多脚的大房子。童年的这段生活让我一看见帆船、汽艇、独木舟、游轮，以及水上漂浮着的各种各样的"船"，就兴高采烈。记得前几年，我在圣地亚哥和家人一起参观了那艘著名的航空母舰后，回到酒店。一只海鸥伫立在阳台的栏杆上，眺望前方，数不清的帆船沐浴在金黄色的夕阳中，等待出发。航空母舰像一个小城市一样大，而这些帆船小得就像我的一件大玩具。我那时一下子想起童年时所见的客船，它的笨重形状与这些玲珑可人的帆船相比，实在显得很陈旧。但它们其实又是一样的，都穿行在水中。翻滚的水流从来也不懂得厌倦，每一次的亲吻都将它们的身体打湿，每天，它们都依偎着波浪，离岸，靠岸，累了就歇一歇，然后继续循着光，漂啊漂啊。

人大概是这个世界上最需要"回家"、最需要"漂泊"的物种了吧，所以才造出船和码头来……每一次的启程，每一次的归航，都奔着目的地，漂啊漂啊。我童年时见到的那艘客船就有起点和终点，它也连接着我们那样的小地方与外面的世界，载来载去，春夏秋冬和相聚别离。等客船走了，我们就捡几颗小石头或是一把粗糙的沙子，一路踢着水草（准是客船靠岸时冲上来的水生植物），再穿过竹林，回家。

竹林不是你们想象中的英雄侠客飞来飞去的地方，那是张艺谋电影中的特技镜头。我的童年竹林里有鲜笋。每年春夏时，可以拿起锄头挖笋。那种美味如今已经遥不可及。那鲜嫩的、微麻的、甜丝丝的味道，真的很美。我后来在其他南方城市也试过不同品种的鲜笋，舌尖从未产生过同样的趣味感，想来，一种又麻又甜的感觉，的确太难捕捉了！笋头熬成的汤略带苦味，大人哄着我们喝下去，说是消暑。竹林也不似摄影家拍到的那般朦胧，实际上，地上坑坑洼洼的，常有碎纸和各式各样的小垃圾，一些断掉的竹子未被及时清理，一不小心就会割破皮肤，我还为此流过泪呢。但我们就像少年闰土那样，总能发现惊奇，总能找到很多只有小孩子才能发现的乐趣，什么捉迷藏啦，什么挖蚯蚓啦，什么看月亮啦，这使竹林变得很热闹。等到月光移动时，竹仙子也会跟着跳起舞，不知道是风还是光线，把竹仙子惹得心神不宁，时而摇晃，时而一动不动。

竹林里并没有长满竹子，有的地方被开辟出来成为便民小店，这些无招牌、无大门的小扁肉店、鱼丸店，留给我舌尖上的美好记忆。小扁肉非常美味，个子高高的外地店主和太太人好心善，总要多给我和妹妹一勺汤、一个扁肉。可惜，店主太太后来不来了，店主整个人也就蔫了，神情恍惚，跟我们说话时总是有气无力，直到后来关店，不知所踪。那是文革刚结束不久的七十年代末期，大人们在一个时代的腥风血雨中还未回过神来。我记得那段时间，街上的很多人家都在为了吃顿饱饭而四处张罗，时常发生借钱借米之类的事情。但我和妹妹在家人的呵护下，还不太知晓人世的艰辛，每日里忙着童年的琐事。

最好玩的便是，当夏夜到来时，一群孩子围在一个食品店门口，追着一盏瓦数不知道有多高的大白炽灯，跑来跑去，没有一个人觉得无聊。好多飞蛾围着灯，窜来窜去，我们蹦蹦跳跳地数着飞蛾，多了？还是少了？有没有掉进衣服里了？最后，总要累到没力气走路了，才各自回家。童年的场景，无论是无聊还是兴味盎然，开始形成文字时，我们就会知道，那些夜晚，那些奔跑，其实就是一条起跑线，我们从这条线上开始跑，越来越匆忙，越来越莫名其妙。

有时候，屋里偏热，不少人就在街对面，也就是竹林沿街处，摆放折叠竹椅。竹椅分成两节，平时立在家里的墙上，需要用的时候，就斜插着放在地上，一张舒适的竹床就有了！这床自然不是平的，而是稍有斜度，中间着地，两边略向边上倾斜。一张竹床上可以容纳好几个人，等主人困了，闲人散去，主人才打着呵欠躺下，肚皮上遮一把蒲扇，或是一条薄毯。鼾声如雷在这里不会受到歧视，至于做梦，当然是各人都有各人的梦啦！

有月亮或者有星星的夜晚，我常搬一张竹床坐在街边，听外祖母讲月亮里的嫦娥故事，讲童话里的哪个男孩伤了哪个女孩的心。记得印象深刻的是，她所讲的《红楼梦》故事，与书上和戏上的不同，在她温柔又抑扬顿挫的语调里，流露出强烈的爱与怜悯。黛玉的丫鬟紫鹃经历了宝黛变故后，心灰意冷地到庙里当了尼姑。大观园的很多人求见，她都不肯现身，她认定，那里的每个人都对黛玉之死负有责任。后来，宝玉多次忏悔求见，她才同意相见。紫鹃出家的地方，我当时听着外祖母真切的描绘，以为就在不远的山区。我始终不明白，关于紫鹃的这些传说从何而来。我在很多年后还忘不了这个再造的名著故事——它深沉如此简单。那时候，我一边听故事，一边数星星。竹子的身上披着夜光，有星星给的，有月亮给的，我一会儿看看天，一会儿看看竹林，再听着天上人间的各种传说。我从中感受到生活的神秘。是啊，追逐飞蛾时的喧闹固然刺激，但能安静地听懂一个故事也别有一番情趣！那时也曾见流星划过，只是惊诧大于欣赏，更别说许愿了。

有一次，我睡到半夜醒来，正揉着眼睛准备回屋去睡。突然见到天空中有一个特别的景象：带着美丽弧线的银针急速地划过夜空，只觉得特别耀眼，如同仙女手中握着的会发出强光的魔杖。由于沿街睡竹椅的人以及我身边的家人都已进入梦乡，我只能独自拥有那一刻的讶异。我张大嘴，迈不开脚步，以为自己在做梦……

那就是流星经过的童年瞬间。在那天，我看见了急匆匆的流星！

后来，城里的旧城改造也影响到周边的县城和村落，只要能带来经济利益，哪里都可以成为大兴土木之处。房子越来越多，越来越整齐，路过的车子也越来越多，人们就不再搬个竹椅睡在街边了。

定居多伦多后，我竟然也听这里土生土长的住在乡下的朋友提起了流星的故事。他的童年感触也与我的有点像。在一个很小的安省小镇，有一天，他的奶奶说，那夜的天空很清晰，会看到流星，便让他搬张小凳，到院子里等。果然，他看到好多颗流星划过夜空！他当时忙得来不及许愿，只想把美景吞进肚里。流星消失后，他呆呆地坐在小木凳上写了一首诗：

　　这一夜，我遇见了流星，

　　它的尾巴，像奶奶的魔针，

　　我坐在我的小花园里，

　　吃着奶奶做的黑莓酱，

　　我望着流星，

　　它消失在这个夏日的黑夜里。

　　在我眼里，多伦多已经够有乡土气息了，朋友却不同意。他叹息道："这样大城市的生活，离自然有点远……我们那个偏远的小镇，现在也不容易看到流星了。我挺同情现在的孩子，没有流星经过后院的童年，算是真正的童年吗？"

　　在我的孩子们也到了我童年时数星星的年纪时，我决定，别在院子里傻等了，到野外去收集流星的光亮吧！

　　我们果然如愿了：在露营时看到了流星。

　　那个夜晚非常幽静，我和先生带着女儿、儿子和外甥，到空旷的湖边观赏夜景。孩子们喜欢摸黑行走，他们的夜行欢乐与否，与手电筒发出的微光有密切联系。走在那个夜晚，听着大自然沉睡之际发出的混浊不清又充满诱惑的声音，孩子们兴高采烈，这不奇怪，他们也正走在童年中啊。湖边的独木舟经历了一天的疲劳，正趴在岸边歇着。

　　我不小心跌坐在一块大木桩上，正要嘀咕木桩太潮，却听到了孩子们惊讶又清脆的赞叹声："看啦！流星！我看到流星了！看哪，又一颗！哦，不，又一颗！太美了！"

在第一颗流星经过时，我正想着要不要许个愿，第二颗又已划过天际。欢呼声中，几颗璀璨的流星相继以迅雷不及掩耳之势，潇洒地划过无垠的夜空！流星在空中、在我们眼前滑过，没有征兆，没有犹豫，它拖着优美的弧线，那奇艺的白光成了夜幕中的灯塔，虽然仅是短暂的瑰丽，但每一个抬头守望过的人都忘不了。我知道，那样静谧而光辉四射的瞬间，整个森林都醉了。空灵、美好的流星就像一条历经亿年编织的仙女手中的魔法丝带，轻巧又柔美，它挥舞着手臂闯进夜空的姿势是那么的优雅，那么的勇敢！它带着无限的眷恋与深情，来了，又走了。

那明晃晃的流星的尾巴，呼啸而来，疾驰而去。似乎它来去匆匆，只为了留下那一闪而过的夺目光芒。为了让我们写一首许愿的诗歌，它情愿永远穿行在夜的深处。

寂静中，我们等着，期待着。过了好一会儿，儿子说话了："你们都许愿了吗？"我和先生刚要开口，女儿轻轻地嘘了一声，说："别说出来哦，许下的心愿是要放在心里才灵验的……"抱着可爱的孩子们，我仿佛见到了一片久违的星空。这样的流星和光亮，一下子让我的心回到童年，让我从丢在脑后的记忆碎片中捡回一点惊喜。

孩子们每次看到流星，都要兴奋地讲上很多天。至于下一次看见流星时，要许一个什么样的心愿才算过瘾？——他们为此争执不休。

"那一次，我们看到了真正的流星。"孩子们说。

其实，这样的乐趣本该在自家后院就可以有的。人因为追求奢华，遮住了流星的光芒，但流星本身，是始终存在的。

　　——写于 2019 年夏，发表于《中国作家网》"芦苇的作品集"

科学，伟大的美

前些年，孩子们还小的时候，我们经常去露营，并拍了很多相片，有时候我还会作些记录。今天翻开了一段与化石有关的内容，仍然觉得一切历历在目——

露营中的惊喜是层出不穷的：也许你会碰到一只友好的棕熊，并和它对视几秒，看它转身离去；也许你会在水边精疲力尽地垂钓三个小时后，才有两只大鱼同时上钩；也许你忽然会在水边捡到一枚彩色贝壳；也许你漫步林间时，会冷不丁地发现一棵闪闪发光的银杏树；也许你会逮到一只橙紫色的珍稀蝴蝶；也许你会将独木舟划到一个狂风大作的湖边，原来，这就是你喜爱的画家曾经驻足创作过的好地方。

犹如一个置身于独木舟上划桨进入海湾深处的人，你将两岸的景物抛在身后，却对迷雾中的前方一无所知。而难以遇见的美，往往就藏在迷雾散开的地方。

每次，你都可能有新的发现。

不过这一回，当我才上小学不久的儿子声称他找到化石石头时，我不敢相信这份惊喜。

儿子这些日子沉迷于恐龙世界，所有的梦想都与恐龙化石有关。他稚气又严肃地告诉我，如果能在澳大利亚或者中国东北的某个角落找到恐龙化石，他就情愿留在那里，就像实验室里的考古学家那样，他要拿着一把刷子，刷啊刷啊，把每一个碎片拼啊拼啊，拼成一只真正的恐龙。他说这些话的时候，相当满足。这两年，我们到加州、纽约州、佛罗里达州旅游时，只要"撞见"与恐龙主题有关的公园、博物馆，他都像遇见传说中的宝藏那样，两眼发光，手上的照相机和笔记本交替使用，手忙脚乱，忙得不亦乐乎。他总也不肯离开，总要蹲下身，向身旁的姐姐和表弟炫耀说，这是哪一年的恐龙，这又是哪一种恐龙，在哪里能够发现它的史前足迹……我每每走到孩子们跟前，都无法相信，那么难记的名字和年代，究竟是怎么装进他的小脑袋瓜的？家里到处都有儿子用蜡笔画的恐龙彩图，还有不少他用橡皮泥及陶泥捏制的"恐龙"，惟妙惟肖。女儿受到影响，也收集了许多与恐龙有关的纪念币、图画书，交给弟弟。

所以我以为，这大约是儿子日有所思、夜有所想的错觉。不过，当我们走到他跟前时，才发现他用手指拍着的石头的确不是普通的石头，这些漫在水里的石头，很像各种鱼类贝类的化石。我们惊诧不已：脚下的石头真的很特别！不像我们平常见到的石头！先生赶紧蹲下身，招呼孩子们从背包里翻出地图、资料。果然，我们脚下踩着的这条水上小径，是一条化石岩层小路。原来，这个略显荒芜的地方，正是三亿年前的鱼类化石岩层。各种形状的鱼和贝类的遗体，清晰地镶嵌在大小不一的石头中。如果不是儿子这个科普迷，只怕大家都会疾步错过这个化石岩层了。我们脚下踩着的，正是记载着三亿年前鱼类故事的水上石头路！我们和朋友们都拍了很多照片。那些鱼骨和贝类化石几乎没有惊动任何人，年久且无人发现，早已与石头和水融为一体。此刻，寂静的年代，寂静的湖水，在孩子们七嘴八舌的一问一答中，变得热闹起来。

我想，这大约也算是一种交流。

大自然发出声音的方式很特别，有喧哗的，有寂静的。也许这一路的水上路径，曾经忍受过坎坷的光阴，年年陪伴它的，只有月亮和白雪，还有阳光。

晚上，我高兴地对儿子说："你擅于观察，有成为科学家的潜质啊。你看，科学家就必须要有浓烈的好奇心，要经常从细微处入手，注意别人眼里注意不到的细节。科学家眼里的科学工作，就如同你们小孩眼里的大自然。居里夫人你知道吧，问你姐姐就知道了，她喜欢居里夫人。居里夫人说过，'科学本身就具有伟大的美。一位从事研究工作的科学家，不仅是一个技术人员，并且还是一个小孩，在大自然的景色中，好像迷醉于神话故事一般。'当你们小孩陶醉在春天的花草蝴蝶中时，居里夫人和她的科学家同行们在枯燥的实验室里看到的，也是一个神奇的春天。你说对吗？科学能让人更多地了解大自然，科学、自然和美，是连为一体的……"

儿子耸耸肩，似懂非懂，并不在意我好不容易才逮着的机会——一位母亲对小孩子进行"说教"的场合并没有想象中那么多。儿子说，他关心的是，既然他能在加拿大发现三亿年前的鱼化石，那么一定也能在中国辽宁以及澳大利亚发现一个史前的化石层。如果那样，他就能找到恐龙化石了。

这两天他一直在问，何时能带他去辽宁和澳大利亚。因为有他的心向往科学，那恐龙化石也就不会孤寂地躺在一个无人问津之处了呀。这是多么自然而然的童心啊。

在他的雄心壮志中，大自然的美等同于他的发现。

那极其严肃的寻找和崇高的热情，让我这个当妈妈的深为感动……

孩子们的梦想既单纯又无畏，在他们清澈的眼里，未知世界的景象是多么的富有美感！难怪人们常说，保持一颗童心才会永远快乐。在这次露营结束前，我们在另一个湖边发现了更多的化石石头。孩子们吱吱叽叽地踏着石头路，惊叫着，辨别他们刚刚发现的小石头。

多么叫人怦然心动的一幕啊！

——写于 2019 年 8 月

熊熊燃烧的篝火

这两天，家里的壁炉上点起了炉火，橘红色的火苗热气腾腾地燃烧着，抵挡屋外的严冬寒气。我不由得想起露营时最为留恋的篝火。

少年时看过几部外国电影，里面有这样的镜头：一群青年男女围着橙红色的篝火，有人弹吉他，有人拨火苗，有人跳起舞；那些女人的蓬蓬裙在火光中一闪一闪的，那些美丽端庄的脸庞在火光中泛射出橙红色的光芒；镜头继续移动，一对恋人笑着，看着，数着时间，两张幸福的脸庞，两对夜明珠般的眼瞳，那是怎样快乐的憧憬啊？

年少记忆中，篝火与青春离得很近。

到了我在生活中经常遇见篝火的时候，我已经移居到多伦多，我和女儿、儿子一样，爱上了露营，篝火的镜头变得真实了。

天黑后，森林里变得很安静，没有多少亮光。微凉的空气中混杂着树木、青草、夏花的幽香。星星微笑着寻找玩伴，天底下的哪一个孩子会错过仰望星星呢……孩子们还带着天文望远镜呢！

夜风吹过女人们的衣角，提醒她们，夜降临了。

这就到了点篝火的时候。各家的男人准时地围成一团，凑近旧火堆。点着篝火没有那么容易，什么引火物啦，助燃物啊，柴堆的形状啦，什么烟熏度控制啦，温度感知度啦，挡风屏障啦，等等等等，每一个细节都不能马虎。

哎啊，好可惜，就差一点儿！——有人大声地叫了起来。

如果不是亲身经历，我可想不到，这件技术活这么难。电影里只看到篝火熊熊燃烧的镜头啊！而且，森林中时常有雨，旧火堆和木材的干湿度都会影响点火，至于风，来无影去无踪却又耐力十足，喜欢钻来钻去。篝火燃着后，依然不能掉以轻心，既要确保火苗安全燃烧，又要确保它不会飘到篝火台外。如果不慎引发火灾，夜巡员就会立即赶到，篝火晚会就只能改在梦里举行了。因而，有经验的男人第一次顺利点着篝火后，就理所当然地成为"篝火英雄"，次日天一黑，营地里的人就都大声呼叫他的名字。

为了一个完美的晚会，我们必须赶在天黑前买好木块和棉花糖。我先生只在没有"篝火英雄"在场的情况下——比如只有我们一家人来露营时，——才成为点火者。但他擅长观察地形和整体筹划，因此我们的每一次露营，无论只是我们四口人，还是与一众朋友一起，都少不了充足的木头、棉花糖和野外探险所必需的一堆工具。

好了，篝火总算点着了，火苗驱散了夜的寒冷，蚊子也躲起来了，可以期待一个舒适的夜晚了。

陆续洗澡回来的人都聚拢到篝火边上，劈里啪啦的响声从篝火台中传出，孩子们串起心爱的棉花糖，在火上烤着吃。他们的小脸蛋红扑扑的，将手中的棉花糖串上下翻动，与小伙伴们比赛着谁更快一点。那糖着实太甜了。

烤玉米和红薯也必不可少，味道比家里烤箱做出来的好。看顾篝火的人不能分心，要或轻或重地搅动木块。这位"火苗守护者"的脸颊总是红通通的，爱妻不忘往他的嘴里塞几口零食，或者干脆揽过这件粗活。火苗窜来窜去，如果往里添加一种化学物质，篝火会变得五颜六色。热烈的橙，神秘的紫，娇美的粉，炫丽明媚的颜色又亮又暖，在所有人的心中划出一道彩虹。

在黑暗中，在一个能放得下三四顶大帐篷的宽阔露营地中，一个篝火台所占的空间实在很小，然而，当夜幕降临时，它便替代周遭的一切，成为所有人都渴望靠近的火热之地，它的狭窄几乎容纳了一切。篝火反光中的人影、双人椅、古树、帐篷、木餐桌上的玻璃杯，以及天空、星辰、不远处的湖泊等，全都在我眼前聚集，我也想起了儿时电影中的篝火和蓬蓬裙……

孩子们互相指着对方的脸，叫出童话里的人名，而后便哧地一声跑开，不一会儿，准会回来叫出另一个人名。有时候，树叶被夜风吹得刷啦啦地响，孩子们便侧耳倾听，树顶上有没有小鸟窝？半夜要是下雨了可怎么办？他们的神情非常认真，仿佛树顶上真有鸟窝似的……我心头一动，想起卡尔维诺笔下的主人公，那位一辈子住在树上的男爵，也曾在夜晚时凝望过篝火。

孩子们互相拷问，又玩起了猜字游戏。玩腻了，就唱歌。是啊，如此欢快的夜晚怎少得了儿歌？慢歌、快歌都不能少。孩子们擅长改词，譬如"小小一串棉花糖""我将从睡袋里钻出来找你——篝火"等，应景的歌词张嘴就来，比风的速度还快。最热闹的莫过于写诗，他们拍拍胸脯，诗神就现身了，既押韵又有趣。即使很困了，孩子们也不愿意离开篝火，直到趴在椅背上睡着了，才被大人抱进帐篷。

轮到大人们享受安静和闲适的时光了。聊聊天，吃吃玉米和红薯，品品茶，喝喝酒，就到了深夜。聊着聊着，突然就没了接话的人，每个人都凝望着篝火，任那飘忽的火光改变一点什么。

白天时，人常常对浪漫失去感觉，静夜会将尘土吸走，将浪漫送回来。火苗起劲地跳着舞，大伙儿的心却越来越静。白天时顾不上亲热的丈夫和妻子这时候牵起了手。

我们这一群人，各有各的心事和牵挂，但此时此刻，我们只在沉默中分享一切，包括沉默。

我们喜欢挑选半私密的露营地：一半是密林，一半是空旷地。繁星闪烁时，坐在空旷处的椅子上，仿佛一伸手就能摘下一片繁星……篝火旁，静夜中，我感到黑暗中的这一团火苗，让我联想起青春的色彩与温度，我们对未知和青春的向往，其实不在于让一切停留在十八岁，而在于保存内心的那一团吱吱作响的火苗———一种永远也无法被夺走的能量。它能在狭小中容纳整个世界，能在黑暗中容纳全部光明。而我们对未来的希望，犹如那一团火焰，只燃烧在微凉的夜。

——写于 2019 年 12 月

永绿的百草园

美国的奥克斯福长眠着一位著名作家——威廉·福克纳，他以无限的痛苦和欢乐同世界对话，以自己的文字和思想延长所有人的生命。很多热爱他的人喜欢来到他的故乡，找到他的墓碑，默默地坐上片刻。

余华在一篇文章中提及，有一天，一位老人来到福克纳墓地独自坐了很久，而后前往镇上的书店，人们发现，这位正在书店默读的老人正是加西亚·马尔克斯。

中国也有一位作家与福克纳一样出名，他也是以无限的悲哀与祝福，同世界对话，他个子矮，目光犀利，喜欢抽烟，喜欢年轻人，心肠柔软。他希望中国人相信明天、相信真理。他就是鲁迅先生。

先生在中国，既被低估又被高估，那神坛上的他的样貌，只怕他自己都未必认得，我猜，他一定会拒绝那些把他送上神坛的好意与恶意。当然，这些高估和低估并没有改变什么，他终究只能以一位普通作家的身份与读者同在。他是一位有缺点、讲真话的好作家，有高贵的人格魅力，是一位忠贞的爱人、仗义的朋友、可敬的老师。世界上的其他地方也有不少像他那样的好作家。

作家的永恒生命力在于作品，无论世间风云如何变换，总有一些经得起时间检验的东西留下来。繁华落尽，所有的一切都会褪色，只有寂寞的文字像长了一张喋喋不休的嘴，说个没完没了。文学作品所呈现的一个时代往往具备史书所缺失的真实生活场景，文学的再现，以质感的语言和画面，让人从时光隧道里回望从前。

然而，又不仅仅只是回望。

先生通过他的作品呈现他的痛和忧，他希望我们在回首中，多一点信念，多一点实诚，他希望我们变成更好的人、更幸福的人，我们有什么理由不为建设更美好的人间而有所行动呢？此即先生的愿望，当然，这也是福克纳的愿望，是那些早已长眠在土却依然"活着"的作家们的愿望。

我早在学生时代就去过鲁迅墓，参观过多个鲁迅纪念馆，我还有幸在南方最漂亮的海滨小城度过大学时代，校徽和校门上的那四个字"厦门大学"——取自先生手迹。但我心里一直还有个小心愿：到绍兴去！那里有百草园，有先生没有带走的童年秘密。

虽然我走过许多城市和名胜，但我一直到前两年回国出差时才在好友的热心安排下到访绍兴。我想，以前绝不是忙到抽不出时间，而是因为绍兴在我心中的份量较重，我总想着，既然去了，就该有个慎重的计划，有足够长的时间，结果就一拖再拖。

那次，从加拿大到上海的飞机有些颠簸，我连一分钟的睡眠都没有。在飞机上，我总是难以入睡，除非我能记住刚做过的梦，否则，我绝不相信自己已睡过一觉。想到下飞机后将直奔绍兴，我心里很高兴。关于绍兴，我其实知之甚少，不如先翻开电子书看看百草园吧：

　　其中似乎确凿只有一些野草；但那时却是我的乐园。不必说碧绿的菜畦，光滑的石井栏，高大的皂荚树，紫红的桑椹；也不必说鸣蝉在树叶里长吟，肥胖的黄蜂伏在菜花上，轻捷的叫天子（云雀）忽然从草间直窜向云霄里去了。单是周围的短短的泥墙根一带，就有无限趣味。油蛉在这里低唱，蟋蟀们在这里弹琴。翻开断砖来，有时会遇见蜈蚣。

这些文字，无需借助电子书，我也能倒背如流。尼采说过，童年的天最蓝，草最绿，鲁迅先生家的后园，想来不错，又大又亮，又好看又好玩……孩子们与花花草草和小动物们嬉闹，忘了天黑，忘了下雨，只在记忆中留下一个身心慰藉之乐园。

到绍兴时已是晚上。一路上，高速公路旁的巨幅彩色广告牌风一般地从视线中飘过，五颜六色，我恍若经过了一座影城。这可真叫人心惊胆颤，在高速公路上开车需要集中精力，司机得有多么淡定，才能对两侧的色彩诱惑视若无物啊！司机反而安慰说，没事，习惯了就好。我仔细地识别广告牌上的文字，不难想象，绍兴这个地方的制造业色彩相当浓郁。从历史上看，商业发达之地，其文化底蕴也必然深厚，因为商贸开启交往之路，带动思想启蒙，两者相辅相成。我也认识几位来自绍兴一带的企业家朋友，他们无一例外地了解故乡在文化上的诸多旧日辉煌，并引以为傲，我也从他们那里听说了绍兴的陈年旧事。淡定的绍兴藏有许多秘密，从大禹治水开始，历史扉页上就已写下辉煌。后来出现的王充、王羲之、贺之章、徐渭……还有再后来的秋瑾、蔡元培、鲁迅……可谓人杰地灵，英才辈出。陆游与前妻唐婉别后重逢的沈园，也在这座城。

晚饭后，我开始倒时差。很困却难以入睡。咸亨酒店在当地颇有名气，环境雅致。一进房间，就感觉这里太安静了，周围一点声音都没有，我感觉自己像被扔到了一个孤岛上。我在房间里转了一圈又一圈，仍旧清醒得很。要不，就点一份夜宵吧，总不能一直在房间里转圈……我在桌上没能找到酒店指南，就打开床头柜寻找。意外的是，抽屉里整齐地躺着五本与鲁迅有关的书。这些书并非鲁迅所写，而是其他专业学者所写的鲁迅研究专著。不难理解，研究鲁迅既已成了大学问，其论文数量早已超过了鲁迅作品之和。这几本书，既有谈及鲁迅藏碑拓研究的，也有分析鲁迅散文成就的，看起来很新，墨香依旧，如果喜欢，可以买走。我顿时饿感全无，开始随意翻阅，涨了不少知识。不知不觉中，天亮了。

你好啊，绍兴。

那一次恰好赶上国庆长周末，街上人挤人。先是经过酒店旁的正宗咸亨酒店，本想进去尝一口黄酒，无奈人比较多，有点挤，只好作罢。孔乙己的命运早被遗忘了，人们与他的雕塑合影，买一碟豆子，喜气洋洋的。接着，我们一行人直奔鲁镇。那里人山人海，各式各样的吆喝声此起彼伏，这些吆喝声有着急迫却又不失闲适的绍兴口音："（路人）请你进来看一看吧！"说真的，我喜欢听这么激昂的声音，有的店主扯破嗓子站在门口喊，似乎不单单是为了生意，同时也是为了展示声线之美……也有的绍兴老妇人，声音绵柔得令人想凑近她的脸庞，也许，她把客人都当成孩子了，而她，不过是在对孩子们讲述一个神话故事，再顺便卖上一把扇子。

当然，我最喜欢的是乌篷船。我一向喜欢有篷的船。从小生活在江边，我在童年的岸边曾追着蛋壳船、竹排船，跑啊跑啊，以为船头的那只鸬鹚还会再来。长大后，无论走到哪里，我都很喜欢观察水上交通工具。那些喘着粗气奔跑的游艇、邮轮、客船，那些唱着歌谣的小帆船、独木舟、橡皮艇，还有孩子们玩耍的木头船、塑料船、金属船等，在我眼里，全都各有其美，如果说到"篷"——为船挡风遮雨的屋顶，最有意思的就是疍家渔民的那种"蛋壳船"了。我曾写过一篇文章《漂泊的蛋壳船》，详细描摹了童年记忆中的这种疍家渔船。绍兴的这种乌篷船和"蛋壳船"有点像，有篷，像蛋壳，小巧玲珑。戴着乌毡帽的船夫将船停在岸边，天挺热，招揽生意这活儿有时就在写有"农夫山泉"大字的遮阳伞中进行。那几个字偏选了刺眼的绿色，与小桥流水和乌篷船的怀旧气息不大相衬，颜色不搭，氛围也不搭。好在价格谈妥后，船就开走了。乌篷船是青色的，船头无一例外地挂着一盏大红灯笼，船一动，岸边的一切也都动了起来，青石阶缓缓地后退，离得越来越远。

江南的水乡都是相似的：小桥和流水，偶尔也能看见洗衣的女人。

最有意思的是，乌篷船会慢慢聚集到看社戏的地方。那天，看社戏的人不多，稀稀拉拉的几条船停在社戏台前。台上摆着一顶花轿，喜庆的大红色渲染着喜庆的舞台氛围。古代的新娘坐在花轿里的时候，红衣红裤红盖头，仿佛在透露什么心声。所有的羞怯、喜悦和淡淡忧愁，所有的梦和飘摇，都必须借着最鲜艳的红才能表达出来。至于下轿后新娘的运气如何，就要看新郎如何了。舞台上的新郎新娘唱些什么，我听不大清楚，但我看得见鲜艳的头饰、华丽的衣裳、等待出发的轿子，我看得见长袖漫舞。要知道，我从小就是一个戏迷，我明白，这些沉重的头饰不是多余的，那旧时代里流传下来的华丽与精美，展示了历朝历代的人，怎样爱过生活、感受过生活。演员在台上忘我地唱着，向前一步，后退一步……我使劲地鼓掌，直到双手拍得红通通的。

坐了乌篷船，看了社戏，我对鲁镇之行已经心满意足。接下来该去三味书屋和百草园了。

在三味书屋前，我举起相机，拍到了"早"字。八仙桌被围起来，禁止游人触碰。显然，这张八仙桌已经成为重点保护的文物——它真的与想象中一模一样。这是一幕不会让人感到迷失的场景。枯燥的书总会伤害童年，可是人就是在枯燥中才知道，什么才是不枯燥的。

快到百草园时，我知道离鲁迅先生最爱的童年乐土只有几步之遥了。我早已不是少年时沉浸于浩瀚书海的那个小女孩了，但我的心依然趴在梦中。我记得你，百草园。碧绿的菜畦，紫红的桑椹，肥胖的黄蜂，聪明的云雀，你们是否还在那里快乐着。

然而，百草园不愿满足我的梦。当我跨进去的那一瞬，我就知道了，一切都是错觉，这里的一切都并非想象中的样子。

这不算一个大园子，它很小，说穿了，就是一个普通得不能再普通的农家小宅园。看护得不算好，给我一种干枯没落的感觉。哪有什么碧绿的菜畦？说实话，菜倒是种了一些，可是毫无生机，也许天太热了，叶片上的露珠无法在其间逗留……我还看到很多蜘蛛网和灰尘。或许，需要来一场磅礴大雨？浇透了，才能还给孩子们一片青翠……我的疲倦的眼睛没能找到桑椹，没能看到鸣蝉和黄蜂，最难以想象的是，几乎没有看到什么鸟儿在飞。难道人一多鸟儿就飞走了？当然，蟋蟀和油蛉也不知所踪。

那一天，先生笔下的百草园里的一切都和我捉起了迷藏。我无聊地站在那里，什么都"看不见"……与社戏和乌篷船无意中带来的惊喜相比，百草园以它的本来面貌向我宣示了它的存在。梦中的东西，书上的东西，都是需要理解的……

然而，园里也有一些新的东西，譬如圆形拱门上的"百草园"这三个字，譬如刻有"百草园"字样的硕大石头。游人很多，都聚集在大石头前留影。同行的朋友不知所踪，我索性就站到"短短的泥墙根一带"，盯着角落里的蜘蛛网。

或许，当年的鲁迅先生也曾躲在这里，望着蜘蛛网和蒙灰的菜叶、栏杆。但他下笔时，更希望写下一些欢快的瞬间，他顾不上给灰尘、蜘蛛很多笔墨。大概，再冷峻的作家在写到童年时都会变得笔触轻柔。

离开时，夕阳和晚霞透过圆形拱门触碰着黑瓦白墙，小宅园里镀上了一层金，一些孩子追着霞光奔跑，黝黑的脸庞，黝黑的眼睛，小喇叭似的叫声——童年之歌是唱不完的，无论是在晨曦中，还是在夕阳下……

鲁迅先生曾说过："其中似乎确凿只有一些野草；但那时却是我的乐园。"而我心中的百草园，又何尝不是永绿的！

——发表于 2016 年 10 月《365 网络电视》"文学园地"

季节的信使

对于加拿大人来说，枫叶无疑是最好看的季节信使。

加国的秋总在不经意中摸索而来。某个明媚的清晨，忽见窗外的日本枫红了起来，似乎只是一夜雨的功夫，又似乎已经酝酿了整个夏天。因着阳光的不同角度照射，小枫树的红色也不尽相同：一面红得像热烈的火炬，另一面则是矜持的绛红色。

夏天已经招摇过了，该是秋了。

画家调色时，究竟能创造出多少颜色？没人数得清。但加拿大的枫叶，色彩之齐全，只怕把全世界的画板和画家都集中一处，也画不完。

一年分为四季，这是古老的科学，也是人们对大自然的温柔划分。一天连着一天的日子被劈成了四个部分：春、夏、秋、冬。这么一来，人们对生活的企盼也变得四季分明，既具体又生动。

十多年前初到多伦多时，已至深秋。初来乍到的我并不忙碌，但内心深处却鲜有悠闲。陌生的街道，从未见过的小动物，准备过冬的花儿，都兀自在太阳底下美丽着、快乐着，我的眼里却只看到冷清。看，外面又起风了！风吹起萧瑟，遍地都是即将枯干的落叶，虽说这些叶儿终将化作春泥，但我还是觉得很失望，这样的景色与从前憧憬过的加国秋景相距甚远。未到加拿大之前，我对她的自然风光早有所闻，这是加拿大啊，这是世上拥有最美秋色的国家啊，秋天怎会让人失望？风光片里的加拿大之秋，俨然就是一派人间仙境的景象，那些阳光下的枫叶，水边的红叶，屋檐后的黄叶，不但呈现出彩虹般炫丽的千万种色调，而且喜欢在清澈的湖面上复制自己的美。枫叶的聚集、落单，全都那么温婉迷人，胜过最美的油画。绵长的枫叶大道上，摄像机追随着山川、湖泊、田野、牧场，以及寻常百姓家的门前屋后。那一树一树的火红和金黄，恍若梦里所遇。

可那一年，我眼里的美秋却忘了我。

刚"登陆"的那段日子，我们住在一个"移民之家"。秋末时，就该开暖气了，但房间温度却被设得很低，我们把温度调高后，房东又偷偷地调回去，其他房客也只是无奈地摇摇头。后经先生与房东交涉，温度总算回复了正常，但一开始受凉的两晚却使我生了病，感冒症状伴随了我整整两个多月，让我苦不堪言，吃了很多泰诺药片。在"移民之家"的每晚，我和先生都睡不安稳，到了白天，我们也不喜欢呆在住处，而是早早出门，办理各种证件，四处闲逛。一日三餐能出门"将就"的，就出门"将就"一番。当时的士嘉堡有一家名叫"知味食轩"的自助中餐馆，生意兴隆。这些年，多伦多的中餐馆竞争非常激烈，这家餐馆不知什么时候已经关了，但在当年，它时常人满为患。有一次，我和先生带着女儿就餐时，在门口等待区排队。

望着拥挤的人群，我对先生说："想不到这么多老外喜欢中餐。"先生冲我挤挤眼，笑道："现在，他们不是老外了。"

或许排队的时间太长了，凛冽的秋风又从各个有缝隙的地方吹进门，刚出生不久的女儿大声哭闹起来，像受了莫大委屈的小公主。我忍着咳嗽，一边哄她，一边窥听旁边的两位身穿精致裙装的白人妇女用极快的语速讲述她们即将到来的周末购物和生日计划。风中飘来的英文单词模模糊糊的，与女儿的哭闹声混杂在一起，合成一曲浑浊难辨的低沉音乐，她们所提到的生日蜡烛让我的心也摇起来。两种语言的较量在我心里长出了一双手，无论怎样使劲都无法完美合拢的一双手。我有些恍惚，突然产生了"梦里不知身是客"的迷惘，那一刻，我真的不知道自己身在何方。

故乡，异乡，我哪有心思辨别？我哪有心思窥探别人屋里的烛光？就说眼下吧，这桌上的一盘美食与硬梆梆的野菜有啥区别？反正我都吃不下。我和先生轮流照看哭闹的女儿，我连筷子都没拿起来动几下……

回到住处门口时，我发现，女儿的小推车上飘来一片硕大的枫叶，形状与国旗上的枫叶一样，颜色却不同，是有着泥土气息的暗红色。叶脉清晰，形状像半颗星星。加拿大国旗上绘有一片火红的枫叶：左右两边的红色象征海洋，中间的白底大红枫叶象征陆地。也就是说，加拿大的陆地上遍布枫叶，简洁的图案也象征着加拿大和她的人民，象征着加拿大人的淳朴和热烈。那天，我没有心思将这段话告诉女儿。女儿稍大一些后，对我和先生以及叔叔阿姨们的赏枫行为颇为不解，总是问，你们瞪着眼睛看那些叶子多傻啊。枫叶之美于她，就像云，多看一眼或少看一眼，都无所谓。但那一次，女儿突然得了这么个新鲜"玩具"，闹了一晚上的坏情绪竟然奇迹般地好了起来，她的嘴里发出带有强烈感情色彩的咿呀声，自顾自地跟枫叶说起悄悄话，破涕为笑。

然而，因女儿不再哭闹而松了一口气的我，却无法像她那样，凭着一片叶就可以笑起来。望着她，望着她手上的那一片枫叶，我的心越发地感到忧惧。我眼前浮现出风光片里的加国梦幻枫景，每一片枫叶都本该是一朵奇丽的花，可自从我来到这座城市，何曾寻过秋色？确切地说，我没有注意过枫叶。秋和枫叶不都是值得赞颂的吗？我何以只看到萧瑟遍地？那一个秋天，日子模糊得像梦一样。

所有的事情，都比枫叶更重要。

再转头一看，偌大的操场，一个人影也没有，呜咽的秋风追着落叶飞快地跑。这个世界上最著名的北方宜居城市，还未入冬就已有了刺骨的寒意。接下来的冬天该有多么漫长？还有多少未知正与冰雪女王一起疾步走来？我感到，有一种慌乱的感觉弥散在我的每一个毛孔中。大家问我，加拿大那边如何？漂亮吧？我总是懒得作答，只用一两张女儿在草地上奔跑的相片，敷衍一番。

就这样，我来加拿大后的第一个秋，在疾风和疑惑中走进了冬。毫无疑问，我错过了那一年的秋色。

后来，我们搬入好友推荐的北约克的一处公寓，房间里很暖，不再有温度低的问题，相反地，不可调节的过高温度总让我想跑到户外，呼吸一口冬天里的新鲜冷空气。第二年，儿子出生，家里变得异常热闹，墙上到处都是姐弟俩的涂鸦。我成天带着他们去荡秋千，一手推一个，好像每推一次，他们就能长上一公分似的——这是真的，我当时盼着他们长大，总觉得荡秋千就像在坐火箭一样！我们的移民生活也慢慢地步入正轨。我们和许多家庭一样，一边照看孩子，一边找工作、创业，艰辛与快乐兼而有之。由于移民入境后获得的社会保障和福利都比较健全，没有多少后顾之忧，我的心也就慢慢地变得安稳了。

到了第二年刚入秋的时节，朋友们便相约赏枫。于是，我也懂得了找寻不同的赏枫路线，为的是见识不一样的秋色。我们走了很多地方，那些日子真叫人怀念。一路所见，比记忆中的风光大片和图片美得多。没有任何摄影作品和文字能够表达我看到绚烂秋叶时的喜爱之情。每一次站在阳光和蓝天下，看枫林如梦，我便对自己说："忘掉想描述的欲望吧，就将这一切存入记忆吧！"

即使不追寻赏枫路线，不驱车远行，我们也可以在自家门前、街区的小路和步行道上，看枫叶呈现出橙黄、酡红、金黄、大红等许多层次不同的颜色。

一夜霜打之后，枫叶就突然红了起来，像被醇酒浇透，尽染千红百媚，醉入红尘。季节的信使，就这样将收获的甜蜜带到人间。那是怎样的爱啊？等啊等啊，风一吹，天一凉，雨一下，那数不尽的颜色——比彩虹更为炫丽的姹紫嫣红——下子全来了。

我经常散步于家附近的一个湖边。冬天时，湖大面积地结冰，未结冰的湖面上踯躅着几只不舍南飞的野鸭。在秋天，湖面中则有另一番撩人的光景。柳树还绿着，倒垂的杨柳在清澈的湖面上摆动窈窕玲珑的倩影，一群野鸭悠闲地踏在水里的小树桩上，嘎嘎嘎的，或荡漾出欢快的水波，或追逐着落入湖面的金黄橘红的几片枫叶。

秋天的天空有不同于其他季节的蔚蓝和澄清。每天，悠闲的白云都爱在蓝天下飞来飞去。

湖边的一棵大枫树是我经常流连忘返的地方，树旁有一块与树干颜色一模一样的大棕石，半截身子坐在水里。枫叶的淡淡清香弥散在空气中。我若坐在石头上，便可以望着湖里的云和天，看野鸭从脚边游过，荡起涟漪。

棕色树干粗壮结实，像黑土一般安稳。枫树需要深植于大地才能顺利生长，它四周的其他植物通常很难成活。从树干伸出去的是粗细不一、形状各异的树枝，看起来很有活力，无论从哪个角度欣赏，都很特别。叶子很稠密，自初秋起，碧绿的枫叶就开始变魔术，成为五颜六色的调色板，红的像火，黄的像金，橙的像柑橘，紫的像薰衣草……每一种颜色都有许多渐变的、不同的层次。由浅到深，由初嫩到成熟，颜色一直在变。

出国后，我曾因为工作需要学习了与辨认色彩有关的一些课程，算一个非专业的色彩"达人"。但我却很迷惑，我总是不明白，我怎样才能记住这么多的美色呢？我的专业知识难以帮到我，因为枫叶变幻之时的诸多色彩，不会停留在树上等我，那些美丽，总在酝酿着下一波的五彩斑斓。

到了深秋时节，叶子开始落下来，沙沙沙的声音像蝴蝶在展翅高飞。沿着湖边，我可以走到小树林里，在大雪尚未封路前，我喜欢漫步在铺满了金红色枫叶的森林小径上，柔软，闪着金光。深棕色的树干背后是深秋的天——湛蓝而洁白。每次，若是遇到一阵大风，灵巧的枫叶就从地上飞起，旋转出轻盈的弧线，飘到空中，再落回地面。若是风小，落叶就会响起呢喃细语般的嘶嘶声。秋天的枫林有时会起雾。雾起时，远方的天空变得朦胧，薄纱的缥缈笼罩了一切。小径上的叶看起来晶莹透亮，像衔着一滴滴的露珠。

我久久地凝望着地上的枫叶，那宁静的华美打动了我。我想象着它曾经的忙碌，它曾陪着一棵树，嬉戏，成长，玩魔术，变颜色，直到落地重生。这不是盛筵将散时的寂寥，也不是夜空中隐去的星辰再也不会出现在光明中，这是最深沉的季节信使……当我们的心忘了季节，忘了童年记忆中的雪山呼唤，它就施展出魔力，带着火红的颜色而来。它还会离开，一尘不染地离开，而后再来，年复一年。

佛家说，一花一世界，一叶一菩提。一朵花，一片叶，一个人，都是一个宇宙。我从枫叶的色彩变化中也看到了一个完整的宇宙。没有什么美是没有缘由的，我们的眼，我们的心，一片美叶，全都住在同一个宇宙中。只有我们的心敞开了，才能感受到这一切。

我曾在心中暗泣的遍地萧瑟，不复存在。四季的变换，时光的流逝，朦胧中无不透露着难以言说的神秘的美感。

——发表于 2017 年 7 月 5 日《365 网络电视》"文学园地"

几段对白

回忆

——天啦，你变这样啦？

——怎么了？没见过上了岁数的女人？

——你，你没照过镜子吗？

——怎么可能？我的敌人很少，镜子就是其中之一！

——还记得吗，我是谁？

——你就是我。

——不，不！我是年少时的你！

——那就是我啊！

——是从前的你。

——就是我。

——你看哪，这命运的神力！你看起来很平静？

——我的心已经着火了。

——告诉我，后来，后来怎样了？

——嘘，小声一点！我后来就在这里啊。

——你幸福吗……我是说，后来的我，幸福吗？

——上帝保佑！自从离开你之后，幸福来来去去。

——话中有话啊。我有点发昏了，我得摆脱你。来，让我摸一摸你。

——上帝不允许我们彼此触碰。

——仁慈的主！让我问出最后一个问题吧：是谁送你回来的？

——是梦啊。

梦

——我梦见你了。

——什么，你梦见了梦？

灵魂

——您是我的灵魂？

——不，我是整个人类的灵魂。

——对不起，找错人了。

——请留步。

——您在挽留我？我只是规矩的小人物，每日往米饭里调一点盐，如此而已。

——听我说，身为至尊之身，我其实并没有拥有什么。

——您的意思是？

——我什么都不是。

——很多人来找过您？

——是的，我占据了他们的心！他们跪在我的宝座前，发誓。

——那誓词未能打动您？

——我早已麻木。

——说真的，我也不感兴趣。

——不听也罢。他们发完誓，就又回家刷牙洗脸，打游戏，清点尸体。

——那些誓词全是假话？

——对于有的人，一切誓词都是虚假的。他们只听得见子弹呼啸的声音。

——我讨厌含糊其词。

——看一看现在的世界吧！

——不容乐观。

——你还是非走不可吗？

——是，我还要继续寻找我的灵魂。我带了一点干粮。

——那么，到山的尽头去，到海的深处去，到没有人经过的森林里去，到闹市去，到教堂去，到夜深人静的旷野中去……

——我讨厌含糊其词。

——到你的心底去。

思想

——你说你不在乎外在？

——是的。

——那你为何频繁地更换西装？瞧那些质地、颜色！你每次一亮相，我就以为你爱慕虚荣！

——天大的误会啊！不同的款式只不过象征着不同的朝代……

——那你的内在呢？

——从未改变。

——我不信。

——想不想看我赤裸的模样？来，脱掉我的西装吧！

遇见

——嘿，你这莽撞的家伙！今天难道是个倒霉日子？

——可不是嘛，你一出门就撞上我，太幸运了！

——可我被你撞晕了！你是谁？瞧见了吗，你看那闪闪发光的是什么？是不是太阳照在那艘帆船上？

——那是将要出发的一艘船。一艘满载欢乐和希望的幸福的船。

——听起来不错，哎呦，我依然感到头晕。请你扶着我，快看那边！飘过来的一大片云又是怎么回事？

——那是一片携带着欢乐和希望的幸福的云。

——那明明是一片乌云！你这个蹩脚诗人！

——你可是我今生唯一的诗啊。

——哎呦，你也头晕了吗？我已经晕得看不清你了。快，扶我一把！

——我一出生就头晕，从没好过。

——告诉我，你是谁？

——谁遇见我就遇见了幸福。

——蹩脚诗人！

——幸福是我的孪生兄弟。

——你到底是谁？不要让我猜谜！

——我是你的爱。快来赞美我吧！

——哎呦，你在骗我。

——我想是的。除了哲学家，我什么人都骗。

——上帝保佑！你果然是我的爱！来吧！让我们到港湾的那边去寻找幸福吧！

——好的。

穷人

——这样的景色太平常了。平常的山水，平常的花草。

——真美啊，那山的沉默，水的流动，那山后面的树林，我还想到那匹我骑过的骏马，此刻正沿着山路寻找彩妆的仙女呢！

——听我说，我几乎走遍世界了，照的相片要是洗出来，能装一屋子。实在没有什么风景能让我感到惊奇了……

——啊，你是说——你失去了惊奇？

——的确有些可悲。

——啊，可怜的！一无所有的人哪！

对话

——跟你们男人没啥可说的。我真不想再说了。

——跟你们女人也说不清楚，怎么说都有毛病。

——从前，你总在提问？

——因为你就是谜啊。

——猜谜结束了？

——绝对没有。

——你骗我。

——绝对没有。

——算了，我不喜欢这样的对话。

——乏味？

——难道不是？

——你喜欢怎样的对话呢？

——钻进我的心行不行？

——你的心跳好快，亲爱的。

——一直如此。

——可你最近太冷漠了！

——你才冷漠。

——我刚修好了暖炉，温度没有问题了。比方说，室内可以保持在二十五度了。

——别耍花招，我的甜心儿。

——亲爱的，你以前不是这样的。

——你以前也不是这样的。

——好好说话！

——好好说话。

——……

——写于 2021 年 10 月

关于自然

宇宙

如果人可以站到宇宙之外，宇宙就有边界。是假设，让故事开始了。

太阳之下

阳光下，万物都在生长。阳光下，快乐和悲伤也在疯长。

海市蜃楼

再美，也只是一座幻城。

春

从冬天走来。

星星

它在永远闪烁。

大自然

日升日落，冬去春来，一切，都会回来。

夜

夜，重复地降临。

太阳

它难道能听懂星星的语言？

小鸟

它的翅膀，飞向自由。

桥

连接起两岸的一切。

忍冬花

冬日里不肯凋零的花。

雪花

六角雪花的梦，落地即碎。

蓝天

只要有云，蓝天就是幸福的。

芦苇

芦苇青青时，季节醒了。

小草

春草初绿时，世界醒了。

愁雨

它突然地从天而降，溅起遍地呜咽。

闪电

美丽而危险。

森林

向前奔流不息的，除了河水，还有四季。

床前明月光

小时候，我们兴高采烈地背诵着绝望的诗句。

雪山

它屹立在离太阳最近的地方，它是河流的源头。

世外桃源

如果真有一片世外桃源，它一定只能被种在心里。

地球母亲

地球的壮丽轮回，是由许许多多生命的辉煌旅程造就的。

孤星

我守住银河中最远的那一颗孤星，以我的乌黑眼睛追随它一个漫长的旅程。

静水深流

在密林深处的大河旁，我想起黑塞笔下的悉达多。或许，人生的奥秘就在这里，只在这里。

花草树木

树和花，还有草，一直不曾离开这条河。有的季节，它们以繁花和青翠相伴，有的季节则以凋零作陪。

彩虹

那些鸥鸟快活地踩在彩虹上，唱出微弱的歌声。

冬日雪径

我爱冰河娴静、拱桥秀美，我爱水边的奇石，我爱蓝天下的洁白脚印和它们那或深或浅的经过。

薰衣草

那一天是薰衣草仙子降临人间的日子，缥缈神秘的紫色从世界的所有角落，飞向我尚未见过任何风霜的童心。

杂草

我们在自家后院拔掉的野草其实不丑，若是长在野外，它们会开出粉粉紫紫的花。

沉默的白在蔓延，我突然见到了漫天飞雪。

雨声

雨砸在窗户上的声音砸坏了一颗心。

雾

雾起时，我竟把异乡当作了故乡。

绿叶

繁花似锦时，满园的绿都在俯首微笑。

起因

阳光和风是蝴蝶翩翩起舞的原因。

痴情的花

玫瑰的花瓣，为爱而生，为爱——而落。

不一样的水

水可以滋润万物，但泪水——却只能使一颗心枯竭。

洞穴

这个世界上最有名的洞穴，在柏拉图的《理想国》中。

大海

茫茫大海，何处着陆？

莲花

菩提树下，佛心如莲。

色彩

这个世界上，没有我不爱的颜色。

古树

每一棵树都有它的来历。

雪

洁白的雪，化作了春泥。

春河

解冻的河水，从冬天流过来。

月亮

它只出现在黑夜里。

芦苇荡

沙沙响。

冬天

下雪了，下雪了。

风

风起时，万物起舞。

雨

我忍不住奔跑在雨中。

最坏的年代

自然母亲哭了。

倾听

那些苇草成片的地方，河水厚重地忍耐着，淡金色晨光透出一丝温柔的宁静。

森林

林木逐渐茂密，黄灰蝶噗地一声趴在路边的岩石上，一动不动，我盯着它的翅膀，耀眼的黄色变得柔和，犹如在灰纸上用蜡笔涂抹蛋黄的颜色。如此无声的希望，如此深刻的优美。

漫步林间

我早已忘了历史，忘了人类的一切计谋。

人在旅途

人没法睡在风景中，人需要一张躺下可以做梦的床。

成长

时间翻滚而至，我们来不及，来不及向每一朵逝去的浪花道别。

大自然

它的心，慢慢成长。它也只会慢慢地，看着世界成长。

——终稿完成于 2020 年 9 月，发表于《中国作家网》"芦苇的作品集"

关于爱情

爱与青春

爱即青春。

爱与祝福

爱即祝福。

圆满

我希望你仅仅因为爱我，就可以得到这一生你想拥有的一切。

相见恨晚

有一种相见，为时已晚。

暖

不要相信小说中的曲折爱情，那些写故事的人很少模仿笔下的人物。如果你这一生只在痴恋着同一个人，你并非愚钝，你只是真的幸福罢了。

冬日阳光

在我们之间，洒进一缕久违的阳光——那是怎样的阳光啊，直直地穿透我们的肌肤，再也赶不走！这暖，令我忍不住想哭，想笑——想沉默。

忍冬的花

爱情，让生命从寒冬的围篱中爬出猩红的玫瑰，时光与颤栗的心一起，谈论着玫瑰，谈论着今夜炉火旁的一个——猩红的吻。

甜

爱情虽有创痛，依然值得经历。没有爱过，你怎会知道，苹果有时很苦？而那寒冬里划过脸颊的、如尖刀般锋利的疾风，却是甜的？

企鹅

你在冰上晃晃悠悠的样子多么像爱情啊。

柔软

你应该向爱情交出妥协，在爱中，你不是一名战士。

爱情与孤独

灵魂相视而泣的那一瞬，我们却都笑了。

宿命

爱情与孤独相拥而眠，从此，他们都拥有了完美的命运。

夏雪

你默默无语，似八月飞雪。

褪色

不是说好了，爱永不褪色的，怎么就褪色了呢。

常青树

阳光下，风起时，树影在摇曳，那正是幸福在奔跑。

滑雪场

我们像两个笨手笨脚的孩子，在一个离童年最近的地方，与雪厮缠。

那时的我

比晨起的空气还甜。

那一夜

我们是繁星眼里的同一个人。

古琴

曾经见证过高山流水、海誓山盟。

爱与苦

爱即为苦。人一旦开始爱了，就害怕失去，就开始在白昼的歌声中听见夜的嘶叫。

痛

如果足够冷，大海也会结冰。

常识

爱情让我们失去，又得到。

坚强

女人的爱情保卫战，既不要切断他与世界的联系，也不要切断自己与世界的联系。

盔甲

全副武装的她，不堪一击。

勇士

人若溶解于真爱的目光，便将生死置之度外了。

情有独钟

你笑起来的时候，全世界也都跟着笑了。

溺爱

天空才是世上最宽容的情人，它给了云多大的地方飘来飘去啊。

触手可及

轮回后的深情，请你，请你写进千年以后的诗歌，我所要的，只是今生。

第三者

婚姻中的第三者，生活在暗影中。

流言

不要轻易判断离异者的对错，人生道理谁都知道，但生活总是充满突如其来的瞬间。

童话

很久以来，童话城堡里的公主和王子，都由演员扮演。

浪漫

并非有了玫瑰，就可以称之为浪漫。

裸体沙滩

银灰色的裸体沙滩上，男人和女人相拥着躺在阳光下。

矜持

矜持又自尊的女子，宁可失去爱情，也不肯贬损爱情。

完美与残缺

岁月里，有一种完美叫爱情；岁月里，有一种残缺也叫爱情。

爱

这不是一个字，这分明是世界上最美的一幅画：瞧，一颗心被紧紧裹住，从此，孤独再也挤不进来了。

同频

灵魂颤栗的时候，吻也在颤栗。

做爱

做爱，是因为爱。没有爱情的性，没有爱情。

坦然

错过了，就错过了。

爱很孤独

"爱很孤独！"古琴说。黑夜，星辰，河流，摇曳的苇草，它们说："爱很孤独。"

沉默

爱，你的庇护已经不再。你柔媚微笑的面容，在你唇间划过的战无不胜的诗句，都已逝去。

告别

原来，所有的告别都是真的。

吻

爱情的第一本能。

慰藉

没有什么痛苦，是爱情之吻所不能抚慰的。

接纳

认可爱情，认可自我。

秘密

如果你连吻都忘了，爱情也会忘了你。

天高任鸟飞

爱情天空下，飞翔着两只自由的鸟儿。

妒嫉

一种比自然界的大海更大、更难以捉摸的非自然现象。

百宝箱

她一次又一次地凝视着那缀满繁复花纹的木制百宝箱。她所不知道的是，那些阳光下的喃喃自语，与她反复擦拭的昂贵珠宝一样，早已失去了岁月的光泽。

心碎

你听不到心碎的声音。

情有独钟

我希望你在知晓天下女人的美丽之后，依然只知道——爱我。

等待

三千年的岁月如梭，他只守着这一处悬崖，双目低垂，人们总在问："你是哪里的旅人，你在等待谁。"

永爱

只有在岁月尽头，永恒的爱才会尽展笑颜。

擦肩而过

两朵云在空中相遇，又分开。

优雅

如果分手无法避免，就留下祝福，快点跑吧。

初恋

在一张白纸上画下第一笔，这就是你们对初恋的定义，可我不这么看。初恋是每一颗爱的种子在地里萌芽的那一刻，是相信天地有涯而爱无涯的那一刻。

暗夜

从前的爱情，在群山低泣的黄昏；那些日子看不见星辰，玫瑰也失去芬芳，那座曲折的蜿蜒迷宫，在深谷中孑立。

山盟海誓

人生的补品和毒品。

异性友谊

异性间的纯友谊是百分之百地存在的，为何你们都不肯相信？难道你们——从来不曾爱过？深爱过的人就会知道，一颗心臣服于另一颗心，这个概率比在崂山遇到"海市蜃楼"的概率还要低。

婚姻

它规定了一个人对另一个人的占有与征服。不服占有者，出局。

奠基石

婚姻的殿堂只能以信任作为奠基。

唯一的道路

通往爱情天堂的道路上，荆棘丛生，气候变幻莫测，除了"信任"这一条路，别无他途。

彩虹

每一个爱情，都有一个七彩的开始，看见天边的雨后彩虹了吗？

至死不渝

因为懂得，所以守护。因为懂得，所以不舍放弃，怎舍放弃？因为懂得，所以至死不渝。

在爱中

她的星星般明亮的眼眸，照亮了爱的夜空。

赤裸

羞怯和慌乱，紧张和甜蜜，她的柔软的欲望——征服了他。

囚

遇见你，我宁愿一生为囚。

两座山

他和她像两座山，起伏，重叠，拥有了一切。

玻璃心

他捧着她的脸，像捧着一块易碎的水晶。

性爱

两个字，一个词。

不再沉默

我与少年闰土一样，心里装着无穷无尽的稀奇事，但我一直都很沉默，直到遇见你。

性爱

性爱的美好，在于克服了本能的缺陷，抵达了爱。

新娘

万物皆有时，我只盼：你爱我永若今朝。

旧爱

爱神维纳斯躲回了当初她冉冉升起的贝壳之中，从此，再也没有任何东西，能够撬开那一扇无缝的乳白色贝壳。

智能爱情

智能时代的爱情，可以发生在人机之间。

偏见

谁说爱情一定要势均力敌？

爱的居所

只有柔软的心，才能够在爱中找到永恒的住所。

爱与技艺

爱情当然不是技艺。爱情怎可以成为技艺？

洞房花烛

那一夜，不是终结，是开始。

爱的目光

你的注视，让我再无所惧。

勇气

如果爱，不要怕。

告别

告别时的爱情，带着所有的色彩离去，像消逝的生命；新的爱情，又带着所有的色彩而来。

彩笔

我们以生命为画布，以爱为彩笔，肆意涂抹。即使所有的油彩终将褪色，我们依然仔细着色。

相濡以沫

总有一种相遇，不是为了一时，而是为了一生。

圣者

天下真有这样的人：为了爱全天下的人，放弃了爱一个人。

——终稿完成于 2019 年 7 月，发表于《中国作家网》"芦苇的作品集"

关于时光

再见

这一刻正在流逝。

回忆

那时的你，不是你。

往昔

总是蒙着一层面纱。

时光

既是永恒，又非永恒。

时光隧道

在那里，时间可以倒流。

死亡

轮回传说中的今生终结日。

真相

没有什么是时光所带不走的。

时光倒流

遗憾的是，时光不能倒流。

真理

发现真理的，是人，不是时间。

区别

区别只在于，时间可以被测算，而时光只可以被感知。

悟

一段美好的时光，一个美好的人间。

无解

灵魂的空间长满了五颜六色的藤叶，缠绕着时间。

假如

万一时间不存在，你就不存在了吗？不，答案恰好相反。

遗忘

时间并没有遗忘一切，所有的过往都在岁月长河里刨根问底。

热恋

恋人们找不到时间刻度，他们的心早已沉溺爱河，瞬间即为永恒。

轮回之悲

如果时间白白过去，而历史悲剧却一直在重演，我们称之为：悲剧的轮回。

白云

正因为白云早已知晓了时光的秘密，它才不肯往自己身上披一件锦衣玉帛。

相对

宇宙的每一刻都处于变化中，天上的云在飘，地上的草在长，只有你的心，静止不动。

并非怀旧

对时光倒流的赞叹，就像命运转盘在旋转时的暂时停顿，让我们可以驻足回眸，以爱和包容的名义。

相遇

在一条通往灵魂自由的道路上，我们遇见命运。我们与日子一起，走着，走着。

忘情

这一世，我将不再做一位英雄，我要和你一起，在山坡上跳舞，跳到日落，跳到天黑，跳到时间消失。

谜

关于时间，物理学家、哲学家们已经争论了数不清的时光，还将一直争论下去。

不可知

过去，或许永远死去，或许依然活着，在某个不让人们靠近的幽闭之处。

活在当下

别告诉我那些空话。我只知道，时间不会主动地纠正谬误，真理大厦的建成，就在今天——在我们流着血汗搬起的一砖一瓦中。

摆渡者

时光就像一艘看不见的船，每一个人都向着看不见的彼岸，摆渡人生。

叹息

你为什么要把时钟滴答的声音，当作时光的叹息声呢。

过去

过去，不可改变，只有对过去的解释，可以改变。

误会

人们普遍认为，沉溺于思考是一件浪费时间之事。

茧

在时间没有被发明之前，人没有年龄。

起源

谁又知道最初的时候，是谁创造了时间。

日夜

白昼时等待着夜晚，夜晚时等待着白昼。

绝对

时光之轴上，横卧着绝望，还有希望。

快和慢

走得快的，是时间；走得慢的，也是时间。

四季

最温柔的划分时间的方式。

这是真的

人若回到从前，从前就成了现在。

山脉

从前，它曾经深埋海底。

你

你是自己的时光主宰。

神秘

时光之美，不可触摸。

明天

未来的你，不是你。

孤独

与时光如影随形。

此时此刻

面向未来。

——终稿完成于 2019 年 11 月，发表于《中国作家网》
"芦苇的作品集"

梦想的行走

加缪，不一样的灯火

傍晚时分，埃菲尔铁塔的金黄色灯光如期而至。我们若乘着游船，可以从不同的角度仰望，从高耸入云的塔尖到盘踞在大地上的塔底，线条优美，明暗交错，百看不厌。铁塔看起来像个庞然大物，披着盛装，傲视万物。但我们若仔细端详，就会发现，天空才是这庞然大物的唯一重要背景。云经历了一天的漂游，稍显慵懒，它们缓慢而随意地飘在天上，穿过铁塔，这使铁塔看起来翩然欲飞。游船慢慢移动，经过一座又一座桥。有的桥非常安静，整座桥上只出现一个凝望河水的异乡人身影。梧桐树的叶子积攒着季节变幻的优美与感伤，与塞纳河两岸的气氛最为合拍。在两岸的窗户中也透出夜幕临近之时的悸动，已点灯却未拉上窗帘的人家，制造了只有在塞纳河畔才能够显现出的肆无忌惮。那些敞开的窗口和从中所透出的淡黄色微光，无不蔑视着窥探者的好奇，它们只袒露自己今天的样貌：一盏模糊的古旧台灯、一件隐约的巴黎风衣、一束窗台前的鲜花盆景、一尊沉思的寂寞雕像……

真是不一样的灯火。

让我们离开巴黎，来到 1957 年 10 月 17 日这天的斯德哥尔摩。诺贝尔文学奖颁奖现场灯火明亮，掌声雷动。加缪满怀喜悦，却又流露出不安之色，像一位导演恶作剧成功之后的邻家男孩。他随后带着略显拘谨的笑容走向领奖台，站定之后，他很快忘掉了聚光灯和周遭人群，开始沉浸到他一贯的激情中去。他那低沉又坚定的声音在那一天传遍了全世界："确切地说，今天的作家不应为制造历史的人服务，而要为承受历史的人服务，否则，他将形影单吊，远离真正的艺术……如果作家的使命是团结尽可能多的人，那就只有容忍谎言和奴性。这个世界充满着谎言和奴性，孤独的疯草到处疯长。无论我们每个人有怎样的弱点，作家职业的高贵永远根植在两种艰难的介入中：拒绝谎言，反抗压迫。"加缪因《局外人》和《鼠疫》这两本书获得了这一年的诺贝尔文学奖。那是属于加缪的历史瞬间。

《局外人》：身陷囹圄的局内人

让我们首先翻开 1942 年出版的《局外人》这本书。

一个理性的老实人默尔索，因为一桩罪不至死的过失杀人事故被法庭以"法兰西人民的名义"处以极刑，而直接定罪原因竟然是他对母亲之死所表现出来的"不合常理"的"冷漠"，检察官指责他"怀着一颗杀人犯的心埋葬了母亲"。换句话说，他被社会道德习俗判了死罪。一个审判刑事案件的法庭成了指证"当事人"如何与常人不同的诡异场所。默尔索对检察官的控诉深感惊讶荒谬，但他发现自己竟然无权参与到决定自己命运的辩论中，他感到不满，他认为，"无论如何罪犯毕竟还是我"。

在《局外人》中，一桩堪称简单的过失杀人案件在审理过程中，一步一步演变成对默尔索的灵魂和道德审判，而后检察官认定默尔索这样"没有灵魂的人"极为危险，属于不可饶恕的人民公敌，最后，包括陪审团在内的法庭判处默尔索死刑。正如柳鸣九在《加缪全集》总序中总结的那样："他（默尔索）之所以被妖魔化而定罪，正是由于他一系列再平常不过的生活细节竟被观念、习俗的体系特别挑选出来，并被精心编织成为一个十恶不赦的犯罪神话。"

这部小说深刻揭示了默尔索与他人、与社会、与命运之间的关系，即一种无法靠近的隔膜和一种无法调和的冲突。默尔索不肯低头，他的反抗简单明了：坚持"实现自我"，拒绝成为世俗人情要求他成为的那一种人。这算是他一个人的胜利。平日里，他诚实温和，不撒谎，也不趋附潮流，当别人热衷于在人生舞台上尽情表演和赢取掌声时，他漠然不为所动，他的快乐自有来处。他平淡地感受着不被理解、不被接纳的不合群之人的孤独。可以说，他虽然于世无害，可是的确不讨人喜欢。犯案后，在决定生死的关头，他依然拒绝了律师要求他撒谎的建议，拒绝了法官要他认错的建议，无论是律师、神甫还是法官，乃至未来的刑场看客，都无法操纵默尔索的价值观。被剥夺了应有情感权利的他，以冷静、无动于衷的态度，像一个"局外人"那样，观看自己的结局。

默尔索对"合群"和死亡的蔑视，并非什么殉道者的勇敢，而仅仅是他不肯让自己真实的心灵被任何东西亵渎。对于社会而言，他的确是一个不可理喻的"局外人"，而对于他自己的精神世界而言，他却可以算是一个不折不扣的"局内人"，他对自己的灵魂负责。与默尔索相比，大多数人的一生并没有多少勇气对自己的灵魂负责，而只是不知不觉地成为自身命运的"局外人"。

默尔索与世界的关系既荒谬又真实，虽然他的口头禅是"无所谓"，但他的淡然外表下深藏着一颗敏感诚实的心灵。他具备着未经训练的荒诞和悲剧意识，对于人的存在颇有清醒认识，对于爱和美，他也有独特感受，他并非没有快乐和崇高，他只是在已经觉悟的心灵中守护本真。我甚至设想，如果默尔索生活在《鼠疫》书中那样的悲惨环境中，善良的他一定会成为一位勇于牺牲、乐于助人的志愿者。他对于社会的"危害"就在于，他从思想和行为上拒绝服从世俗准则的要求，这样的"危害"比杀人、偷盗等罪行"大"得多，因而遭到社会惯性的报复。

拉康认为，人的欲望是对他者欲望的欲望，人就是在他者的欲望中被异化的。因而人们在追寻真实"自我"的路途上披荆斩棘，却常常只在重复那些约定俗成的、镜像化的观念。比如现在这个时代，科技已经高速发达。也许某一天，我们一觉醒来上个街，就会发现街上微笑着的人群，全是披着人类肌肤的超人，我们将在泪流满面中学会辨别：我们并没有爱上一个机器人。但人类在思想领域的步伐却慢慢吞吞，没有一位大思想家能够指明宗教、种族和解的根本路径。常见的倒是，流行文化与利益合流，以"流量"的形式向世界展示人的伪生存状况。在这些流量多寡的背后，浮出一个欲望世界的影像。人们打心眼里鄙视那些纯然而无用的理想，人们挖空心思地打着各种高尚旗号追求物质利益，从政治、文化，到爱情、尊严，一切都可以进行炒作和经营，而那些真正践行着"纯然而无用"的价值原则的"另类"，则成为被人们暗暗嘲笑的对象。然而，如果世界上果然有极少数人，完全拒绝被同化，或者说，当这些"另类"从未意识到自己处于"另类"的境遇，而是全然地陶醉于自己的自由感和幸福感时，人们就觉得自己的脸上挨了一记重拳，觉得"胜利"没有了参照物，于是人们集结起来，制造层出不穷的理论，竭尽全力地想让"异类"们认识到他们"一无所有"的"失败"。

默尔索正是这种拒绝被同化的人。不但拒绝，他还打碎了所有的镜子。

他觉得自己一直真实而且幸福。具有宗教意识却不信教的默尔索拒绝按照神甫的建议向上帝忏悔，他也在临终前想念起自己的母亲，理解了母亲生命最后时光的幸福，并且以一个彻悟者的心态感受到了人间的幸福："现在我面对着这个充满了星光与默示的夜，第一次向这个冷漠的世界敞开了我的心扉。我体验到这个世界如此像我，如此友爱融洽，觉得自己过去曾经是幸福的，现在仍然是幸福的。"

《局外人》出版时，法国正处于法西斯的魔爪之下。加缪因此篇小说而声名大噪。他采用白描手法，以冷静简洁、深邃又富有哲思的语言，塑造了一个质朴诚实的"局外人"形象，我以为，加缪以"局外人"默尔索的精神内涵写出了这部关于"局外人"命运的作品。必须提及的是，该小说的名字在法语中叫《陌生人》，因此英文版的小说名也叫《陌生人》，台湾的最早译本则为《异乡人》。大陆中文译本最早由孟安翻译，出版于 1961 年，其书名《局外人》契合加缪小说的本义，体现了小说的精髓和哲学内涵，令人过目不忘。

默尔索无法接受的罪名不可思议，如果我们对一个人说"我们因为你和我们不一样而判处你死刑"，那听起来就像天方夜谭一样，但这就是默尔索被置于的荒诞处境，这又何尝不是无数人在人生中被抛向的荒诞处境呢？

合上书，这个令人不寒而栗的故事刺激着读者的神经。我们知道，"死刑"不仅仅指肉体上杀死一个人，也隐含着在精神上杀死一个人。但凡一个集体、一个组织、一个政权，以思想的统一作为存在的合理性，那么，我们就可以说，"一致性"之下的每个人都是默尔索，都随时处于因"你和我不一样"而被报复甚至被杀死的危险中。

加缪作为一位具有浓郁现代意识的作家，对默尔索命运的探索也表达了他对现代社会中个人权利的深切关注。

加缪把《局外人》的主题概括为一句话："在我们的社会里，任何在母亲下葬时不哭的人都有被判死刑的危险。"加缪在书中描写了两个"法庭"：法律机器运转的法庭及无处不在的道德法庭，这两个"法庭"轮番攻击，将默尔索送上绞刑台，而加缪作为不动声色的"局外人"作者，对默尔索的"另类"做了无罪辩护，不但辩护，他还赞美默尔索："他是穷人，是坦诚的人，喜爱光明正大……他是一个无任何英雄行为而自愿为真理而死的人。"加缪还在为美国版《局外人》所写的序言中写道："他（默尔索）远非麻木不仁，他怀有一种执着而深沉的激情，对于绝对和真实的激情。"

默尔索清楚自己对世界的热爱，他只是一个不合作者。一个不合作者的胜利与反抗只有一种：那就是不合作。考虑到写作的时代背景，加缪塑造出这样一个与世界格格不入的人，可谓用心良苦。

我们如果研究一下历史，就会发现，从古至今，人类社会对于

"异己"的仇恨让多少人粉身碎骨，人头落地。唯种族论，唯信仰论，唯阶级论，唯成分论，唯贫富论……无论哪一种偏见，都将所有人推向被侮辱、被损害的深渊，从而否定了人作为人而存在的价值。

这部小说令加缪红得发紫，受到广泛赞誉。评论家亨利·海尔称《局外人》"站立在当代小说的最尖端"，罗兰·巴特认为《局外人》"无疑是战后第一部经典小说"，"它表明了一种决裂，代表着一种新的情感，没有人对它持反对态度，所有的人都被它征服了，几乎爱恋上了它。《局外人》的出版成为了一种社会现象。"

作为二十世纪最重要的文学经典之一，《局外人》可谓风光十足。而"默尔索"这个名字，也因此具有了某种"永生"的意味。

每个人其实都是潜在的默尔索。每个人身上都或多或少具有默尔索的特征：真实、自然、不媚俗、不从众，但大多数人在生活中，都被逐渐改造成了"非我"，无法发掘自身心灵的真实和力量，而默尔索则至死都算得上是一个真实的自我。我是一个离不开镜子的人，在我缺乏传奇色彩的人生阅历中，我从未遇见过像默尔索那样敢于打碎镜子、搅乱镜像世界的"局内人"。

《鼠疫》：介入灾难的行动

让我们翻开加缪于 1943 年发表的一篇随笔《西西弗斯神话》。通过对古希腊神话人物——西西弗斯的重新解读，加缪表明了自己的立场：如果荒谬与惩罚同在，那么，人也可以选择在循环往复的悲剧命运中微笑抵抗。神话中的西西弗斯犯罪后被众神施以惩罚，即永生永世都只能悲惨地推着一颗巨石。但加缪却将这一故事加以发挥，他认为西西弗斯在推动巨石的过程中改变了自己被惩罚的命运。巨石一到山上，就滚下来，西西弗斯既不沮丧，也不放弃，而是继续推动巨石上山，循环往复。这一解读，沿袭了古希腊悲剧中对于"命运"悲怆本质的理解，又在这不可避免的悲剧中融进了作者的现代意识，即人通过蔑视必然的命运来抵抗荒谬，于是人就在反复的行动坚持中实现了对自我、对命运的超越，使幸福从荒谬中降临，使心灵从虚无中得到升华。加缪的结论不乏乐观："应该认为，西西弗斯是幸福的。"

在《局外人》和《西西弗斯神话》等著作出版前后的那些年，法国人因为抵抗纳粹的收效甚微而失去意志力，灰心丧气的绝望气息笼罩着整个国家。漫长的海岸线仿佛裸露在空气中，任凭敌人的铁蹄肆意践踏，胜利几乎不露一丝曙光。年轻的加缪在这段时间里并没有沉默，他匿名在地下报纸《战斗报》发表一系列文章评估局势、鼓舞士气，抨击法国领导人的绥靖政策，给法国人带去追求真理和踏实行动的勇气。

接下来便有了 1947 年问世的《鼠疫》，这本书一出版即引起轰动，两年内印了二十万册。那时，第二次世界大战刚刚结束不久。

该书写了一个小城市里的人们在鼠疫临城时被隔绝于世、展开自救的故事。二战时的欧洲法西斯主义像一场"鼠疫"，让欧洲陷入人人自危的恐怖气氛中。故事算不上复杂。一座叫奥兰的北非小城突然间发生了鼠疫，所有人都不知所措。政客们依然心存侥幸，百般推诿，希望能够混水摸鱼，乘机捞取各种利益。市民惊慌无助，无所事事，像行尸走肉般地过着反常的日子。医生里厄凭着职业敏感第一个判断出鼠疫临城，他四处游说，组建了卫生防疫队，与鼠疫展开搏斗。鼠疫在蔓延的过程中，希望无处萌生，里厄医生忍受着与爱妻分离的痛苦，与好友塔鲁和其他志愿者同仁日夜奔波在抗疫第一线。为了阻止瘟疫扩散，奥兰后来不得不实施封城，整个城市变成了一座孤岛，无人能够自由出入，城里的人不但与死亡为邻，还要忍受与城外亲友的分离，备受双重折磨。人性中的贪婪、无耻、软弱和虚伪也在这座死亡之城蔓延，如鼠疫一般。里厄医生凭着崇高责任感、超强医术、慈悲心肠和顽强意志，成为这场抗疫行动的主心骨，越来越多的人加入到他的队伍中。他们采取隔离措施，尝试疫苗，竭尽全力救治病人。最后鼠疫终于无声消失，封城解禁，失散的人们开始团聚。爱，重新降临。

抛弃等待，减少恐惧，采取行动，才可能阻止鼠疫蔓延，减少死亡。在反抗鼠疫的过程中，人作为存在者的尊严才真正显现，换句话说，人若放弃抵抗，任凭鼠疫肆虐，人就不配为人，与动物无异。

主角里厄医生不认为自己是英雄，他对成为"英雄"和"圣人"都毫无兴趣，他也不想成为"伟大的人"，只想成为一个真正的人，一个有深度道德的行动者，一个好医生。当神甫帕纳鲁认为里厄"也在为拯救人类而工作"时，里厄回答说："拯救人类，这句话对我来说是大而不当。我没有这么远大的抱负。我关心的是人类的健康，首先是他们的健康。"里厄对神甫最后参加卫生防疫队表示赞赏，他对神甫说："现在连上帝都不可能把我们分开了。"里厄不是一个历史决定论者，对于大话、空话和英雄主义理想都深恶痛绝，他只是不想束手待毙地活在"当下"，不信上帝的里厄也不在乎关于彼世天堂的描绘，他更关心如何从瘟疫手里救出一个孩子、一个老人。可以说，不想成为英雄的里厄是一个着眼于此世的道德英雄。不想成为圣人的里厄是一个真正的圣徒。一个着眼于现实的行动者，才是一个抵抗荒诞的胜利者。

对人间天堂的爱，才是里厄的力量源泉，这一点之所以重要，是因为这也是加缪的力量源泉。

《鼠疫》一书的纪实性描写真实得令人感到触目惊心。

小说里有一段关于一个小孩子被鼠疫夺去性命的描写："恰恰在此时，孩子好像肚子疼得厉害，重又蜷起了身子，而且小声呻吟起来。他就这样蜷缩了好几秒钟，一阵阵痉挛和寒战使他全身抖个不停，仿佛他那脆弱的骨架正在鼠疫掀起的狂飙中折腰，正在高烧的阵阵风暴中断裂开来，暴风雨过后，他稍微放松了些，高烧似乎退去了，把他抛弃在潮湿而又臭气熏天的沙滩上，他喘息着，短暂的休息已经酷似长眠了。当灼人的热浪第三次袭击他时，他略微抬了抬身，随即蜷缩成一团，同时，出于对火焰般烤人的高烧的恐惧，他退缩到病床的尽头里，发狂似地摇晃着脑袋，掀掉身上的军毯。大滴大滴的眼泪从他红肿的眼皮下涌出，顺着他浅灰色的小脸流淌起来。发作一阵之后，他精疲力竭，蜷缩着他那骨瘦如柴的双腿和胳臂，经过四十八个小时的折磨，孩子身上的肉已经消失殆尽了……"这个孩子的家人已经被送往隔离营，里厄医生和塔鲁等人眼睁睁地看着这个小生命从痛苦挣扎到消逝。当我们阅读这样逼真的描写时，仿佛忘了虚构性，以为正置身于那样残酷的场景中。

加缪惯有的冷峻和平实的语言风格贯穿始终，加缪在这部小说中克制了他也擅长的浪漫主义风格的渲染。这既是一部寓言小说，也是一部哲学小说。它写了一场突如其来的灾难，加缪也通过里厄医生在文中最后的思考指出，这样的灾难不会灭绝。会循环往复，会被遗忘，会再卷土重来："在倾听城里传来的欢呼声时，里厄也在回想往事，他认定，这样的普天同乐始终在受到威胁，因为欢乐的人群一无所知的事，他却明镜在心：据医书所载，鼠疫杆菌永远不会死绝，也不会消失，它们能在家具、衣被中存活几十年；在房间、地窖、旅行箱、手帕和废纸里耐心等待。也许有一天，鼠疫会再度唤醒它的鼠群，让它们葬身于某座幸福的城市，使人们再罹祸患，重新吸取教训。"

鼠疫象征着法西斯主义。这算该小说最明显的一个象征，作者本人也毫不讳言这一点。加缪说："《鼠疫》最显而易见的内容就是欧洲对纳粹主义的抵抗斗争。"加缪将鼠疫的肆虐过程和市民从走投无路到集体反抗的过程写得丝丝入扣，震撼人心，如新闻报导般真实。

然而，如果鼠疫仅仅象征着那一场法西斯主义，那我们就没有真正理解加缪。

鼠疫也象征着人性中从未消失过的那些"恶"。法西斯主义利用人性之恶，以乌托邦的美丽辞藻堆砌而成一个基于谎言的梦想世界。鼠疫发生后，无论是道德还是宗教信仰，都无法解救鼠疫患者，一不小心，任何人都会染病身亡。于是，人们认为那些平日里喊得震天动地的"崇高"全都不堪一击，毫无用处，就对一切都失去了信仰。神甫依然以高高在上的姿态宣称灾难来自上帝的惩罚。趁火打劫者，自私自利者，损人利己者，利益追逐者，从政客到平民到戴罪在身者，都在鼠疫蔓延的过程中尽情演绎着他们身上的恶。城市与地狱无异。即使鼠疫作为瘟疫消失了，可它作为人性中恶的基因，却永远也不可能消失。人的生存，善恶常常也只在一念之间，如何在心灵世界中弃恶趋善，在伦理实践中追寻有深度的道德，这些都是加缪要人们去深切体验的。

鼠疫还象征着荒诞命运所带给人的瘟神般的劫难，人在这类毁灭性的无助和灾难面前感到困苦、消沉，放弃生命意志。鼠疫来临之后，所有人都被流放在孤独之城，我相信加缪借用"鼠疫蔓延"的这个意象也描绘了他对命运之孤独无助的深切感受。从这个意义上说，"鼠疫"也是生活中向人们涌去的排山倒海般的精神孤独，这些孤独既像细菌一样真实、不可触摸，又代表了人类命运在哲学上的永恒困境。但加缪在自己的作品中呼唤起抵抗鼠疫的勇气，由此衍生出加缪的深层道德追求，即注重伦理实践的身体力行。在加缪看来，人"无意"地被抛到世界上，又必将"无意"地被抛到终极结局中，循环往复，无休无止。加缪在指出问题（即"荒诞"的存在）之后，通过这部小说提出了他的完美解决方案：行动，即以普遍之爱为信仰的决然反抗。当鼠疫来临时，应当像里厄医生那样去介入灾难，抵抗，从灾难中吸取教训，把真相和经验都如实地告诉后来者，这样才能使城市和历史真正从苦难中恢复元气，使爱重来。如果再具体到每一个个体的内心，加缪警告说，要警惕每个人心灵中存在的鼠疫基因，才能成为更好的人，不能将个人的"恶"传播出去，成为集体之恶、社会之恶。

鼠疫不断侵袭，人不断反抗，尊严和幸福终于在反抗之后回到城里，连同爱。而西西弗斯不断推动巨石上山的哲学隐喻在《鼠疫》一书里有了一个详尽而具体的现实注解。

从《局外人》到《鼠疫》，再到后期的《反抗者》，加缪在写作路径中遵循的是一贯的思想立场。他的写作路径也细致地解说了他的思考过程。他把人对循环往复的"荒谬存在"的反抗从个体延伸到群体，人对命运的认知与承受从"局外"进到"局内"，或者说从一种陌生的钝感开始，进入一种"义无反顾"的态度，反抗成为过程与结果。《局外人》中默尔索的反抗充满悲剧意味，个人主义和理想主义色彩深浓。到《鼠疫》时，这份悲剧感有所淡化，虽然死亡无处不在，故事本身也密布着灾难之网，但小说本身却并非悲剧，其结局呈现出理想化的加缪风格：人们并肩作战，鼠疫无声无息地消失了。鼠疫必须消失，因为二战已经胜利了，加缪的美好愿望也得以实现。如果非要吹毛求疵，这个小说的弱点恰恰在于象征意味的过于浓郁，作者忍不住从自己的小说中探出头来。冷峻的语言背后，过于急切的胜利欲望呼之欲出，因而，当小说写到最后，找不出原因的"突然胜利"冲淡了一部经典著作的终极悲剧意味。然而，我们怎会忍心苛责加缪，他那样地爱每一个人，他有权在他的想象世界中建造一座团结友爱的人间城市，一个没有英雄、没有圣人、但是普遍道德和爱却战胜了恶的人间世界。

《鼠疫》故事中那样的时代完全走远了吗？我看未必。在当今世界，加缪所反对的那些东西都还在阳光下长出新的、经过巧妙包装的恶，如同加缪在书中所担忧的那样，那些隐藏在角落里的、存活了几十年的细菌还在嘲笑着人们，虎视眈眈。

——发表于 2019 年 8 月号《书城》杂志

爱的终局

——读贝克特戏剧《开心的日子》

一

一片宽阔的草原伸向看不见尽头的远方，一个腰部以下身体均被埋进土里的女人凝视着远方。又是一个开心的日子，她说。

没有人注意到，她正一点一点地陷得更深，没有人试图拯救。

贝克特将他艺术幻觉中的这一幕搬上了舞台。

《开心的日子》于 1961 年秋在纽约樱桃巷剧院首演。在那个历史阶段，旧的价值被怀疑甚至被否定了，新的希望又尚未孕育成型，两次世界大战的惨烈更让人不忍直视人性的堕落。更为敏感的女性心灵免不了要承受更多痛苦。

1952 年，英文版的《第二性》在美国出版，成为广受关注的一部宣扬女性解放的畅销书。该书对女人所处的"工具"位置和"被牺牲"的权利问题等提出了犀利见解，并呼吁女性自我"松绑"。但作者波伏娃作为一位女权主义运动开创者，却在争取永爱的道路上遭遇挫折，她热爱的萨特拒绝了她希望结婚的请求，两人后来成为"合约式爱人"，各自在感情中尝试"泛泛之爱"，那是不同花样和方式的惊奇和刺激，死后两人葬在一起。他们的"爱情"与自由无关，只能说，两位个性独立又颇为自私的思想者，把"爱情"这个游戏玩得筋疲力尽。

在《开心的日子》中，我们从女主角温妮把玩的化妆品、药品、花镜、报纸、黄色图片、太阳伞、手枪等道具中，看到现代社会的影像，但我们难以判定温妮所处的年代。她那半截身子埋进沙丘的"位置"使她的形象超越了她的时代，她成为一个因爱情而"受罚"的女人，她活在爱的沼泽里。她的琐碎的、缺乏精神和肉体滋养的物质化生活，充满了喋喋不休的幻觉和浑浑噩噩的自我欺骗，她以持久的忍耐力与命运展开拉锯战。她虽然被埋在沙丘里，但的确尚未死去。她说了那么多话，我们都无法确定，那是属于波伏娃时代的女性的声音。

我们有待追问的是，贝克特式的无背景、无历史、无能力、无因果究竟想传达些什么？贝克特的艺术梦想来自他的思想洞察和他对"同源创造"的逃避，他的经验不是对其他人经验的同质复制，他逃避文学史上对旧有传统改头换面式的模仿。亚里斯多德曾在《诗学》中提及古典戏剧的特点，即"环绕着一个整一的行动，有头，有身，有尾，这样它才能像一个完整的活东西，给我们一种它特别能给的快感。"贝克特的悲、喜剧都未把这种"情节整一性"原则当作"圣旨"，但他的戏剧却有奇特的"思想整一性"（芦苇语）。他对如何吸引读者毫不在意，纯粹像一个梦游者那样在文本中深挖苦掘，将与心灵困境有关的词语挑拣出来。贝克特的目光极具穿透力，没有哪位作家比他更明了人的本质和局限。他将目力所至的每一场噩梦都化作艺术浪漫，写下来，说出来，留下来。为着活下去，为着所有人更好地活下去，他以圣徒般的严肃将揭示爱与存在的真实当作毕生事业。在阴沉与绝望中，"总有某个东西能留下来。在万物当中。某个东西能留下来。"

此即贝克特的愿望。正如《开心的日子》中所呼救的那样，不能把爱就那么弄丢了。

二

名为《开心的日子》，贝克特这一剧本呈现的却是爱的悲歌。

贝克特将他对爱情的哲学分解融进了作品。哲学家马丁·布伯说过，世上没有孑然独存的一个"我"。那么爱是什么？布伯说，爱就伫立在"我"与"你"之间。贝克特将人的"孑然独存"的痛苦剖析得淋淋尽致，温妮的渴望被倾听正是这种"我"与"你"、"我"与世界关系的孤独映照。

爱是"我"和"你"之间的"伫立"，这是多么完美的诠释！爱情发生在人与人之间，既有距离，也有融合，因而也就有了美感和依恋。在这部作品的结尾，当温妮和威利四目凝视之时，如果我们联想起布伯的"爱的伫立"，就会理解贝克特的意图。爱情当然也离不开性，性将伫立于爱之间的距离抹去。爱情到了最后，定会产生出爱与性分离的痛苦，谁都不知道爱与性该怎样掺和一起才算合适，太多时逃避，太少时责问，几乎没有一个适宜尺度来维持爱与性的和谐。而当两个肉体上合二为一的人开始叩问心灵共鸣时，爱又赤裸裸地呈现出另一种孤独。温妮的爱情便走到了这一步：性的匮乏，激情的匮乏，交流的匮乏。

男人和女人相爱了，情到深处，忘乎所以，连闹钟上的秒针都被他们视作障碍，他们不想拥有时间，只想让爱与性停留。然而，那只是昙花一现。婚后的男人和女人成了无法交流的两个物种：一个光顾着看股票、广告，一个光忙着揣摩爱情的时限；一个不停地问，一个不停地躲。

爱情从得胜的那一刻开始，就因为害怕失去而落败。女人对爱情是不是"在场"的非理性确认，正是女人的最高理性，女人以此展开自罚似的自我确认。爱若凋零，美亦凋零，女人的一生都在与爱情较劲，与男人较劲，崇高理性在女人心中远不如一句甜言蜜语更为实在。有时候，男人和女人的角色也可以对调，但画面大抵相同。当爱情之花日渐枯萎，"死亡"的阴影便一片一片地投进"婚姻"这座曾经的童话城堡，越来越长。美，无法时时更新；爱，无法时时更新。双方都不得不承认，他们已走进爱的坟墓。

很多文学名著都描写了这座坟墓。《安娜·卡列宁娜》中安娜的卧轨自杀是她无路可逃的出走，她在肝胆欲碎中凄然维护了爱的尊严，尽管那一份虚空尊严只有她一个人在维护。一个多么令人难以理解的女人！但她的欣然赴死也证明了，在那一刹那，只有死才能召回她作为女人所追逐的冒险与激情。福楼拜笔下的包法利夫人虚荣又软弱，她嫁给一个善良优秀的丈夫，却在婚后沉溺于幻想，盼望全新的浪漫生活，她的尝试皆以失败告终，并在得知家财被骗后四处求救，一无所获，她在自杀前拒绝了公证员以金钱为饵引诱她失身的胁迫。

在上述经典小说中，"爱之坟冢"深埋在女主人公的心里，但贝克特却出乎意料地将其化作"实物"、搬上舞台。

三

贝克特将温妮安置在荒漠沙丘中，令其动弹不得。从艺术表现形式看，这沙冢与贝克特一向钟爱的"泥淖"相似，一旦陷入，必有挣扎。在阳光强烈的沙丘中，温妮处于酣睡状态，腰部以下被埋。她的形象不错：还不算老，穿着撩人的低领紧身衣，胸部丰满，披着一头金发，脖子上挂着一串珍珠项链，皮肤白皙，脑袋枕着胳膊。地面上有购物袋、黑包、折叠阳伞。她的丈夫威利在土丘后面的沙地上睡着。

刺耳铃声将温妮和威利吵醒，新的一天开始了。

温妮醒后凝视天空，赞叹道："又是一个美妙的日子！"接着，她开始祷告。再接着，她从包里摸出牙刷、牙膏，刷牙。牙膏盒已经瘪下去，温妮相当费力才挤出一点儿。温妮借题发挥，对所剩无几的牙膏大做文章。温妮又取出包里的小镜子，检查牙齿。威利没有发出声音，温妮开始责备他对生活缺乏热情。温妮把包里东西都折腾了一遍，依然没有得到威利的回应，她便用伞柄钩戳威利，后者将妻子的阳伞捡起来，还给她。温妮于是乞求道：

> 求求你别再当着我的面儿呼呼大睡了，我可需要你哪。（停顿。）别急，别急，别再当着我的面儿蜷作一团就行了……（转向大包，在里面摸索，取出唇膏，转身朝向前方，细看唇膏。）快用光了。（找眼镜。）算了。（戴上眼镜，找镜子。）不该抱怨。（拿起镜子，开始涂抹唇膏。）那句精彩的诗是怎么说的来着？（涂抹唇膏。）——啊，快乐啊转瞬即逝——（涂抹唇膏）

通过这些絮叨，温妮的确把女人在爱与婚姻中的孤独发挥到了极致。自始至终，温妮并不顾及自身的危险处境（沙土正在一点一点地将她掩埋），她的精神索求和记忆沼泽，才最令她魂牵梦萦。正因为一切困惑在内心中只是化作了直觉的奴隶，她对爱情和婚姻的渴望就只剩了茫然的冲动，她在"下陷"中也不肯摆脱"表演"的欲望。她无法赢得她一再呼求的"得到"，她空洞又充满暗示的声音消逝在荒漠的狂风中。她有过不甘，有过精神复仇的想法，那一把枪即为证明。如果从精神分析学角度揣测，剧中的手枪、牙刷柄、伞柄，都是男性性能力和威权的比喻。温妮离不开这些象征男性力量的"物"，这些"物"连接着她与自我及世界。但她不是没有迷惑过，她举起枪又放回去，这就像一种姿态，证明她曾闪过一念：她与威利之间本该发生一场战争，她与欲望之间也必须发生一场战争，她与平庸又慌乱的生活之间也存在一场战争。

温妮是否通晓爱的本质我们难以断言，她的动作和语言所具有的

"表演性"不仅仅是为了戏剧效果，贝克特有意夸大温妮的时尚感、自恋感以及"社交界时髦女郎的腔调"，使温妮的形象具有鲜明的群体特征。

威利终于开口说话，内容与报上新闻有关。温妮对此置若罔闻，依旧忙碌着各种自我陶醉的动作，依旧回忆着往事，她的嘴里蹦跶出新鲜又陈旧的词语、句子、标点符号，源源不断。

四

到了第二幕，温妮在沙冢中越陷越深，脖子以下都被埋在沙土里。她已经无法前后转动，无法用上半身做各种动作，只能够面向前方，一动不动。黑包和太阳伞依旧摆在土丘地上，原先放在包里的手枪摆在她的右前方。

她即将被沙冢淹没。

她重复着第一幕的那些话，换了一些词语，换了一些句子，但内容和本质一样，腔调也一样，停顿似乎更多了。她还在笑，她的忧伤也没有加深，还是说啊说啊。转动不了的脖子使她的无奈夹杂着将要牺牲掉整个生命的烦恼，她苦于自己徒劳无益的念旧，她一直都在重温往事，但事实上，并没有多少往事可以重温。

第二幕中的威利更加沉默，但是戏剧性的一幕最终还是出现了：他穿着礼服、戴着礼帽爬到离温妮不远处。温妮大喜过望，接着，她又讲起了她的从前，她的魅力非凡……在这一时期的对话中，温妮才道出了她和威利的困境——爱与婚姻的困境。

在爱中，我们真能听到叫喊声吗？温妮对往事难以静心思考，她提到许多无关紧要的往事，她表现得激情澎湃，但她绝口不提的是，为何如今身陷沙冢？人的反思首先在于把自身当作对象，并在自身之外审视自身。这意味着我们对爱情的反思，也应当把爱情当作对象，在爱情之外审视爱情。温妮在沙丘里的动作、姿势、语言，都像一场精彩的表演，她说给自己听的话，也是说给威利听的，她说给威利听的话，也是说给自己听的。恍惚的温妮无法接受自己的处境，她越是自言自语个没完，就越是感到孤单。

贝克特在另一部名剧《终局》中所设定的"终局"模式，接近于国际象棋中的"终局"，即"王"即将被"将"死的一刻。哈姆在地狱般无望的环境中与继子展开"走与不走"的争斗，这一对主仆在剧终前又回到了起始状态，这也暗示着两人的纠缠还要继续下去。而在《开心的日子》中，温妮一出场，就已经"半截入土"，在幕落时已被沙土埋到脖子，她即将被掩埋，下陷的沙丘，无助的沉沦。但温妮和威利这一对人物却并非主仆，而是夫妻。他们的纠缠在幕落时有了回光返照般的希望，温妮在恍惚中有所追求的热切让威利意识到，沙丘即将淹没一切。

那一刻的清醒颇为悲壮，他们与自我"处境"的对峙，是在认清处境危险之后，这恰好构成优秀艺术的核心要素。

贝克特曾经说过，乔伊斯只有一个妻子。贝克特在艺术上不再对乔伊斯亦步亦趋之后，才取得了文学上的突破，但他对恩师的尊崇从未改变过。这番"只有一个妻子"的表述也许只是一种调侃，但贝克特的一生，的确也只有一个妻子。贝克特与妻子住在同一座房子中，但不住同一间卧室。据说他的房间极其简朴，像苦行僧踏足之处，而其妻的房间则填满了豪华家具。我们无从得知，贝克特对爱情的期待有否实现，当然，结论并不重要，因为他的作品早已告诉我们，他理解无法沟通的一切爱情、一切关系。成熟的爱情发生在成熟的两个人之间。遗憾的是，对于很多女人来说，这样的成熟时刻往往难以在年轻时撞见，于是，她们不得不在余生中尝试与失败的爱情沟通。人的生理和心理状态难以同步：在身体最需要陪伴的时候，心灵尚未觉醒；而在心灵最需要陪伴的时候，身体又已经被习惯钉在了固定的慵懒中。人们为此分不清性与爱，分不清喜欢与爱，分不清自己与恋人的真实需求，只在跟随世俗的时间表中恋爱、结婚、生子、老去。中年时分的到达，很像一场及时雨的降临，它很自然地变成一个回顾爱情和人生的新阶段。

就像温妮那样，在中年的光线中开始对过往和记忆进行随心所欲的碎片化概括，似乎语无伦次，又似乎字字珠玑。

温妮不甘心一无所获地陷落下去，她或许还会爬出来，央求威利发出爱的誓言。既然她那么需要爱，就一定会想方设法，哪怕继续欺骗自己。至于温妮背后发不出声的男人，他们其实也与女人一样，因为无助、无望和不被充分了解而受困于爱的沼泽。

——发表于 2022 年第 1 期《书屋》杂志

曾经沧海难为水

——读纳博科夫小说《巴赫曼》

中国古代的伯牙曾作《高山流水》，虽已失传，但每个感慨知音之遇的人都会在心里弹奏自己想象中的这支动人乐曲。伯牙的琴声，钟子期听得如痴如醉，亦能领略其中的千万般奥妙。"伯牙所念，钟子期必得之"。钟子期死后，伯牙摔琴绝弦，终生不再弹，以哀知音不再。纳博科夫的短篇小说《巴赫曼》所描写的，与其说是一首凄美哀婉的爱情之悲歌，不如说是一曲琴破弦绝的知音之绝唱。

从一位钢琴家的角度来说，或许弹奏的过程也是一个寻找自我的过程。然而，真实的自我怎会自动现身？她隐藏在人们难以把握的虚浮中，神秘难触。而对此种不易把握之物的极度渴望，会在艺术家心中埋下痛苦的种子，令他时常感到绝望、忧惧。他必须找到一些东西，必须通过自身所不具备的力量找到一些东西，他必须消除自身的惶惑才可以延续艺术灵感。巴赫曼正是这样的音乐大师，尽管他一直在琴声中宣泄情绪，但一直都没能得到解脱，直到邂逅精通音乐、又能诚实地热爱着他的佩罗夫太太。

该小说的"第一叙述者"（"我"）从萨克那里听说了巴赫曼的故事，萨克既是"第二叙述者"又是巴赫曼的经纪人，他对自己客户的风流韵事了如指掌，一段往事就在萨克的叙述中展开。

巴赫曼是一位闻名遐迩的钢琴家、作曲家。其貌不扬，长着一个滚圆的青灰色小下巴，令人联想到一只小海胆。个矮头秃，只有一点儿头发稀落地搭在头顶上。他爱穿不合身的衬衣，总是不合群地出现在人群中，自顾自地看报纸，做着旁若无人的各种小动作。在萨克眼

216

里，不讲礼仪的巴赫曼是个"粗人"，脾气暴躁，喜怒无常，邋里邋遢。巴赫曼不喜交际，当他不得不和人应酬时，脸上的表情总是显得"怯生生"的，说不出什么话。他最喜欢独自到酒馆里喝酒，每次，演出一结束，他就会突然失踪，躲进当地的小酒馆，谁也不知道他在那里忙乎什么。

佩罗夫太太也是一个有些怪僻的女人，青春已逝，却懒得进行任何外表上的补救，手上总拿着一把扇子，握着一支绿松石镶头的手杖。腿有点瘸，相貌平平，身材瘦小，发型呆板，皮肤苍白，从来不抹口红。说来也怪，这个青春不再的女人却极不和谐地拥有一张毫无衰老之忧的脸庞——这张脸还颇为动人。萨克也形容她"喜怒无常"。

巴赫曼与佩罗夫太太认识之后，便无法分开。当佩罗夫太太第一次欣赏到巴赫曼的演奏时，就又是叹息，又是微笑，深为陶醉。从那之后，无论在哪个城市举办巴赫曼的音乐会，佩罗夫太太都要端坐在第一排。她挺直腰板，头发梳得光亮，身上穿着自己最喜欢的黑色开领女装，"跛脚圣母"的戏称由此传开。从那时起，谁也不知道为什么，这两个怪人之间像装上了一条很长很黏的磁铁，越来越分不开。巴赫曼也越弹越好，越弹越狂，逐步登上了个人演艺事业的巅峰。佩罗夫太太不但到场聆听，而且经常拄着手杖在各酒馆间寻找临时失踪的巴赫曼。巴赫曼的演出合约是经纪人萨克最为关心的，可不能让音乐家在演出结束前失踪或者醉成"烂泥"。佩罗夫太太与巴赫曼心有灵犀，她总能猜出他的藏身之处。两个人在一起时并不怎么说话，他拿张纸记下乐谱，她则默默地陪伴在侧。

这段关系维持了三年，直到有一天发生了一件事。在慕尼黑演出时，巴赫曼和佩罗夫太太住在一家旅馆的不同房间里，与平时一样。刚到的那天晚上，巴赫曼又不告而别。恰逢佩罗夫太太感冒，卧床不起。萨克便带人四处寻找，结果一直到开演那天，才从警察局领回了钢琴家，原来，是警察帮着找到了他。萨克将钢琴家带回剧院，"交货般地交给了助手"，就赶往巴赫曼的旅馆去取演出服，并顺便看望了佩罗夫太太。

剧院里已经热闹非凡：舞台上的灯光已经亮起来，闪闪发光的黑色钢琴已经竖起琴盖，观众也已准备就绪，等待开演。嚓的一声，巴赫曼一路小跑，登上舞台，台下掌声雷动。他毫不在意现场的热烈气氛，而是随意地坐下来，一边调试钢琴，一边自言自语，还不时地拿手帕擦手。弹奏前，他带着标志性的"怯生生"的笑容，转向台下，这一看糟了！他的脸上露出异常痛苦的神情，笑容霎那间消失了：

手帕掉在了地板上。他专心致志地把台下第一排就座的脸又挨个扫了一遍——看到中间那个空位置时，停顿了一下。只见巴赫曼砰的一声按下琴盖，站起身来，走到舞台边上，转着眼珠子，像个芭蕾舞女演员那样举起弯弯的双臂，非常可笑地跳了三四下芭蕾舞步。观众愕然，后排座位那里发出一阵笑声。巴赫曼停住步子，说了点什么，但谁也听不见。接着他如同拉弓扫荡全场一般，朝所有观众打了个轻蔑的无花果手势。

她到哪里去了？！巴赫曼没有见到她，就不管不顾地离开了舞台，躲进休息室。萨克立即给佩罗夫太太打电话，告诉她，巴赫曼因她缺席而罢演。此时的佩罗夫太太已处于高烧昏迷中，耳鸣得厉害，胸口一阵阵剧痛，医生当天已经看过她两次了。她放下电话后，不顾病体，拼尽全力地穿好衣服，叫上出租车，赶往剧院。一路上，几乎已失去身体知觉的她，还在头脑里回味着巴赫曼魂不守舍的模样，嘴上露出"轻轻的幸福微笑"。不料，就在萨克给佩罗夫太太打电话时，巴赫曼径自跑掉，演出彻底泡汤。佩罗夫太太顾不上安抚愤怒的萨克，直接奔进潇潇夜雨找人，她"一面颤抖，一面微笑……身子虚得好像肩上压了千斤重担。她一瘸一拐地走着，嘴里发着几乎听不出来的呻吟声，一只冰冷的手紧紧握着镶着碧玉的手杖头。"最后，警察发现了虚弱不堪的她，将她扶上马车，送回旅馆。进门后，她发现巴赫曼正坐在她的床上，"光着脚，穿件睡衣，像个驼背一般肩上披着一条花格昵毯子。他用两根手指在床头柜的大理石桌面上弹着鼓点，另一只手握着一只碳素铅笔在一张乐谱纸上画圆点。"

萨克回忆说："我想这是佩罗夫太太一生中唯一一个幸福的夜晚。我想，他俩，一个疯疯癫癫的音乐家，一个快要死了的女人，在那天晚上找到了多少大诗人做梦都想不到的语言。"第二天，当萨克来到酒店时，发现巴赫曼坐在床边，沉静而满足地望着已经奄奄一息的佩罗夫太太，萨克见状连忙请来医生。无奈回天无力，这位不幸的幸福女人于当天病逝，"幸福的表情到死一直挂在脸上。"

说实话，我们如果追究起巴赫曼未能及时送佩罗夫太太就医的过失，我们就不是好读者。这并非纳博科夫所关心的，这位不幸的女人如果有原型，多半不会那样轻易死去。小说家"见死不救"，这才有了一个完美的纳氏小说结局，一个出乎意料的结局。

巴赫曼原以为佩罗夫太太强壮如牛，她在他面前总有天使般的耐心和永无厌倦的热情。他完全想不到，一次感冒就击溃了她。当他意识到佩罗夫太太已经失去知觉时，才变得惊恐万分。他揪住医生的肩膀，狂击自己的额头，像一只无头苍蝇一样，在屋里来回乱窜。一张揉皱成团的乐谱纸寂寞地躺在床头柜上，那些音符成了巴赫曼最后的灵感。在三年的相知相伴之后，巴赫曼永远地失去了他的知己，他的情人。纳博科夫并没有刻意强调他们之间的男女私情，因为在这个故事中，知己之遇的重要性超过两性之遇，性的相遇和得到固然可贵，但绝非稀罕，稀罕的永远都是"高山流水"的相遇，所以纳博科夫选择了更为重要的一点来"定格"。

令所有人都难以置信的是，事业如日中天的巴赫曼在佩罗夫太太落葬后就踪迹全无。从那时起，巴赫曼的琴声就永远消失在舞台上了，颓然退场的他，再也不肯重返舞台。

这就是纳博科夫式的小说结局。

我们想象一下那个下雨天，那个痴心又不幸的艺术家最后只落得个孤零零的下场。耐人寻味的是，在未曾认识佩罗夫太太时，巴赫曼尽管古里古怪，依然能够登台献艺，他的不拘一格，他的不合常规的舞台焦躁，无不透露着内心的挣扎和对庸俗的蔑视。但在遇见佩罗夫太太之后，一切都变得非同寻常。一湾绿水，万里青山，皆可流泻出美妙音符！他的艺术生命重获生机，如新柳吐绿。他非要看到第一排的她，才感到安心。

文末有一个细节，很能说明巴赫曼后来的销声匿迹并非愚不可及。多年以后，经纪人萨克巧遇失魂落魄的巴赫曼，坦然选择了对后者的视若无睹。是啊，彼时的巴赫曼已经无法给萨克带来金钱收益了，虽然萨克可以向世人绘声绘色地描述"前摇钱树"客户的奇闻轶事，但在异乡偶遇时却连寒暄几句的愿望都没有。

巴赫曼所放弃的一切，的确不值一提。

那些掌声，那些名利，那些热闹。那些东西可以因其有物质好处而为经纪人所追逐，他们会培植出一个又一个的复制品和玩偶，廉价的眼泪被包装成高贵的珍珠，庸才被包装成天才，天才被降格为庸才，只有闪闪发光的金币才是真理。巴赫曼早已大彻大悟，他放弃演艺事业所为的那个女人——唯一的佩罗夫太太，才是他的精神财富，才是他的心安归处。青春不再的"跛脚圣母"才是全然理解了他和他的艺术的人，正因为如此，佩罗夫太太的倾心守护才成了巴赫曼在这世上所得到的最珍贵的东西。

至死，巴赫曼都没有重回舞台，可谓用情极深。他已无可倾诉。

纳博科夫是文学界的狂人奇才，他的这个篇幅不长的小说也像他的长篇那样，情节跌宕起伏，细节生动传神，行文中流露出他对笔下人物的恻隐之心，他对艺术的执着也由此可见一斑。实际上，巴赫曼就很符合纳博科夫喜爱的那一类小说主人公的特征：行为怪僻、不近情理、痴迷。学识渊博的纳博科夫写起音乐来也像个行家。小说中有一段男主角弹琴的描写："巴赫曼演奏技巧无与伦比，善于调动和搭配各种声部的旋律，不和谐的音符经他一弹，也能给人旋律优美的奇妙印象。他演奏三重赋格曲时，主题表现得极有风度，尽情地戏弄逗玩，如猫戏鼠一般：假装要放它逃生，忽然露出一丝奸笑，朝琴键俯下身去，以饿虎扑食之势将它逮住。"这一段写得多么生动！小说家一生都钟情于研究蝴蝶，因而他的小说创作也受到这一爱好的影响，他陶醉于纯粹的快感中，在躲避与抓捕中，他兴奋得像一个孩童——那是深具艺术魅力的游戏，难以理解，却又极其迷人。巴赫曼与音乐的共融共生经小说家显微镜般细腻的刻画，给我们留下了难以磨灭的印象。

同样，在讲述这一场惊心动魄的生死恋中，纳博科夫也不动声色地揭示了人类在精神探索领域的困境与结局。他给我们的感觉很特别：悲伤，就潜伏在不远的地方，随时准备呼啸而来。而他，只不过轻舞捕蝶网，等待他的"入网之蝶"……他所苦苦等待的，既是蝴蝶标本，也是永不枯竭的艺术灵感……

巴赫曼和他的情人象征着艺术和觉醒。后者的死象征着艺术家灵感的枯竭。这符合人性探索规律。探索人性是艺术家的本分，但这探索的过程如果被市场和实用原则绑架，那它带给艺术家的痛苦和焦灼就是必然的。艺术家只有挣脱了这份捆绑，才能听到心灵的泉音。巴赫曼从佩罗夫太太身上看到了精神镜像世界之外的自己，听到了最真实的艺术召唤，他从心窝里感受到了被人触摸的感觉。这样喜盈盈的充实感不是每一个艺术家都能拥有的。他也因此完成了一个艺术家的使命，但他又因此抛弃了全世界，那又怎样呢。

觉醒的一刻虽有惨烈，亦有所得。

当世人为着一尊雕像赞美一个五百年前的雕刻家时，世人爱的，全是自己想象中的美与刚强，那位艺术家曾为这尊雕像流过怎样柔弱的泪，只有他自己懂得。时间或许带不走艺术品的美丽，但时间一定留不住，留不住世间的相遇——那些艺术品背后的故事。

像巴赫曼和佩罗夫太太那样的故事真的有过吗？世上真的有过那样离奇的故事吗？有句中国古诗极尽浪漫地描绘了纳博科夫笔下的这场"罢演风波"：曾经沧海难为水。

——发表于 2019 年 7 月 22 日北美《侨报》"文学时代"

拯救的话语

——读黑塞长篇小说《悉达多》

流浪的告白

一场像模像样的初雪如期而至，森林小径的入口处也铺上了一层薄雪。继续往里走，我就会经过一座桥，遇见一条河。

这条河是我亲近又钟爱的朋友，我熟悉它的四季，它的心情，它发出的哗啦啦的响声。它吸纳万物的灵气，又将所得毫无保留地奉献于世。当我看见它结冰的时候，也会想起它在春天里的样貌：载着毛茸茸的成群小鸭汹涌而来，犹如巨轮呼啸，驶入初春的森林。那种美，摄人心魄。它，一条穿过冬季的河！它来了！它在倾听！它在诉说！而我的心里也会涌起一些话语，一些在漫长冬季里堆积起来的话语，犹如刚刚解冻的河水那样，流向新的季节。

我站在它的边上，总会不由自主地想起另一条河。那是《流浪者之歌》（赫尔曼·黑塞著，徐进夫译，上海三联书店 2013 年版）中提及的一条充满传奇色彩的悟道之河。

这本告白式小说温情易读，其主角名叫"悉达多"，即佛陀释迦牟尼出家以前的名字，但这位"悉达多"并非佛陀本人，黑塞煞费苦心地借用大觉世尊之名来展现一位悟道者追求理想的漫长求索道路。在这神秘的生命旅程中，我们能不能感受到黑塞所感受到的孤独与执着？

古代印度的贵族青年悉达多相貌英俊，才识过人，家世显赫，过着养尊处优的"人上人"生活。他和亲人及挚友相亲相爱，父母更是以他为傲，期待他成为学者、祭司、王者。但长大后的悉达多发现，自己的知性、灵性都难以得到满足，便毅然踏上求道叩问之旅。他追随苦行沙门修行，聆听佛陀宣讲教义，还融入"世俗"，过上花天酒地的生活。他在享乐中消耗了人生的精华时光，逐渐感到现状远非理想，遂产生厌世之心。因寻找自我而失去自我的他，陷入绝境。

悉达多就像一个一步一步攀爬的登山者，原本仰望着山顶的阳光，以为到了跟前就可以自然而然地拥抱永恒的阳光，就可以从容不迫地揭开命运的神秘帷幔，不料眼前所见的只有阴影。一路爬啊爬啊，本希望燃起对生的渴望，却被到达之时的无意义所围困。最后救了他的，是一条旧河。

这不是一本"讲故事"类型的书，如果从情节的跌宕起伏来看，它不在精彩小说之列。与黑塞的《荒原狼》和《玻璃珠游戏》相比，它与现实的距离更远一些，它弥漫着童话气息，而这出童话的主角实乃黑塞自己，他借主人公的寻道足迹抒写自己整个青春乃至整个人生的迷惘。

明知谜底难寻、破绽难免，黑塞却执意解开谜底。内敛的黑塞从小就与环境格格不入，他很早就知道，写作即为生命。成名后，他因持反战立场而为纳粹德国所不容，避居瑞士的卢加诺湖畔，虽然生计艰难，身居乡野，黑塞却不肯黯然遁世，他还不忘帮助被纳粹迫害的德国难民友人，始终以成熟的人道主义者之爱关注祖国命运。

二战后，黑塞成为公认的德国知识分子道德良心的象征，并获得歌德奖和诺贝尔文学奖。我喜欢黑塞这样的人，即使远离尘世，依然落足尘世，关怀现实。言行一致，梦想不虚，这也使《流浪者之歌》这一部寻找心灵奥秘的浪漫主义小说闪烁着理性光辉。

与爱相遇

悉达多离开挚友戈文达和佛陀之后，决心不靠言传之教诲，而靠自己的努力探究生命之谜、灵魂之谜。他先是徘徊于功名利禄中，结识了名妓渴慕乐和富商，并在前者帮助下获得商业成功。吃喝嫖赌，奢靡艳俗，他一一尝试。渴慕乐身为艳妓，本能地运用自己高超的性的手段，使悉达多沉迷得喘不过气来，欲罢不能。

可是，当渴慕乐越来越迷恋悉达多之后，却怀疑他身为"沙门"，不具备"爱人"的能力。悉达多反驳道，身为妓女，与不能爱人的沙门一样，是不懂爱的。"你怎么可以把爱当作一种艺术来操作呢？"此后，悉达多忆念起他所离开的家人、朋友、大觉世尊……他明白，寻欢作乐的日子到了头。他离开艳妓，离开他的城市，一去不返。

渴慕乐听到悉达多失踪的消息后，先是寻找，继而释然，她本性中的善和纯也渐渐回归，她感到身体中有一股新鲜的血液在涌动，那是生命之河藉由悉达多的离去赐予她的再生。她放走笼子里的小鸟，看着它飞向自由。从那以后，她停止接客。遇见悉达多，她才走近了爱情之门，而她的代价却是失去。

爱情，当然并非技艺。爱情怎可以变成技艺？

黑塞以"艳妓"为幌子，将"爱情"与"爱情技艺"区别开来，还原爱情的初始模样，可谓用心良苦。

人要是软弱起来，很容易在习惯与集体潜意识的推动中成为无知无觉者。如果不想被爱情的盔甲撞伤，就投降吧！就将爱情放在智力的天平上标个价吧！"爱情合同""性合同""婚姻合同"之类的时髦东西，与时俱进地出现了，这些充满"现代气息"的流行事物，听起来合情合理，让人在"爱情"中获得最利己的保障，不是吗？然而，人一旦陷入此种"精打细算"，爱情早已弃他而去。这些年，还齐刷刷地冒出很多书籍、婚恋专家、心理医生等，向公众兜售如何"钓"到富人美女……甚至将《孙子兵法》精髓、西点军校语录以及商场秘籍等，都添加到"爱情功课"中，使得宣讲"爱情技艺"的文字多如星辰，这些都是把爱情当作"技艺"来操作的实例。

黑塞在这部小说里通过渴慕乐的觉醒，把与爱情有关的这个道理讲得既透彻又明晰。我据此推测，黑塞也曾经深爱过。

与佛相遇

《流浪者之歌》是一本讲"大爱"的书。其中有一章《大觉世尊》，写了青年悉达多与佛陀的相遇。舍卫城中的每一个人都听过世尊之名。所有的人都像等待成长的孩子，渴望明了知识，获取一把走出深渊之门的钥匙。所有人都渴望在与这个世界的相爱中找到一条觉醒之路。

大觉世尊一路静思默想，将觉悟体验传授给弟子，弟子再将其教诲传播于世。他对人间的慈悲，不单在于行走与教诲，还在于他所强调的"平等"。他对弱者的慈爱发乎真心，他对"弱肉强食"的否定饱含着爱。

我们从佛教经典中想象过佛陀的形象，从世界各地的佛像中瞻仰过佛陀的形象，但很少有好看的小说描述过如此激动人心的一刻：与佛相遇。当我读到舍卫城中的这一幕，内心感动不已：

> 佛陀一路静静地走着，专注于他的禅定和疑虑之中。他那安详的面容上，既无欢乐，亦无忧戚。他似乎是在他的内心之中微笑着。他一路走着，默默地，从容地，带着那副隐约的微笑，好

像一位健康的婴儿。

戈文达见到佛陀之后，心就被吸走了，立即加入僧团，追随佛陀。悉达多与好友相拥而别。

当悉达多在纷繁思绪中又一次遇见佛陀时，他说出了自己的疑惑。他说，佛法的目的在于助人离苦得乐，而世尊的觉醒与觉悟是通过自己独一无二的体验达成的："利用思维，运用禅定，透过知识"。

悉达多痛苦地向世尊坦承，世尊觉悟一刻体验到的一切无法通过言传身教传授给他人：

大觉世尊的教言里面含容很多东西，教导很多事情——例如怎样过正直的生活，如何避恶向善，等等。但有一样东西，不在这种明白有用的教诲之中，世尊在成千累万的婆罗门中独自证悟到的那个秘密，不在这种言说里面。这是我在听您说法时想到、体会到的一点。这就是我为什么要继续走我的道路，不再寻求其他更好教义的原因……

佛陀知道难以劝说悉达多留下，就以不变的友善和坚定，对悉达多的未来献上祝福和警言。悉达多将佛陀的一切刻在心上，在后来的岁月中时常回味，他在佛陀身上看到一个征服了自我的圣者是如何行、坐、住、卧，如何看人，如何微笑的……他决心也要征服自我。

若干年前，当我第一次读到《流浪者之歌》的时候，感动之余也颇感好奇。我期待着黑塞能在以后的篇幅中解答悉达多的疑惑，我的疑惑。我好想知道，一个否定了言语教诲的悉达多，该给出怎样的答案才不辜负佛陀在只陀园林中的教导。一个毅然离开了导师的求道者该怎样完成他的圆融统一。

现实与精神的双重国度，如何才能避免一场惨烈的隐形战争？

说实话，我期待一个结局，它必须震撼我心。

与河相遇

我未曾料到，黑塞的答案，竟然只是一条河！从来没有哪部小说将河写得如此激荡。

如果不曾遇见黑塞笔下的这条河，关于河的哲思，我会首先想起赫拉克利特，他说过，"人不能两次踏进同一条河流"。河在不断变化中，谁能否定这一点呢？

悉达多在追寻一生之后，对人世失去信心。他认定自己曾经的胡作非为罪不可赦，自己布满污点的灵魂早该摆脱尘世的藩篱！他来到河边，年轻时，当他还是苦行沙门时，他离开佛陀后倍感孤独，一位摆渡人将他从这条河的那一边渡过来。如今，老去的他站在河的这一边，饥渴难忍。

经过了漫长岁月之后，他在清澈的河水中看见了自己丑陋的面容、形体。他向自己的倒影吐口水，他凝视着河水里的天空倒影，如同凝视着一片永远也无法靠近的虚空，他看见了死神，他好绝望！他的身体和灵魂早已死去，他巴不得一死了之！

就在他投河赴死的那一刻，流淌的河水留住了他，向他发出"生"的呼唤：

一个来自他的灵魂深处，来自他的疲惫生命深处的声音。那只是一个字，只是一个音节，他曾不假思索地随口混念，但却是古代一切婆罗门祷词起首和结束要用的一个字——神圣的"唵"字真言，而它的含义则是"完美"或"至善"。

……

"唵。"他在心里朗诵道，于是他觉知了梵，觉知了生命的不灭；他忆起了他所忘失的一切，忆起了那神圣的一切。

黑塞用了许多句子述说河水的秘密，即，河在永恒的流动中向人们传递生的奥秘。悉达多从河水的流淌中重新想起"一切万法皆悉无常不实"，重新回顾自己的成长，他从河水中感受到世间最美的声音、容颜。

河水通晓时间的秘密，它是永恒：它既是一切，又不是一切；它既在此处，又不在此处；它既安静着倾听，又咆哮着诉说；它既古老，又年轻……

从沉沦中获得新生的悉达多，自此安稳地拜河水为师，拜婆薮天为师，成为摆渡人。人们听说之后，纷纷来到河边，向师徒二人倾诉心事，希望得到智者的言传教诲，所谓的"观河法门"更是被传得神乎其神。两位摆渡人就像沉默的河水那样，微笑，倾听，并不传授任何生活技艺和人生道理。他们勤劳地渡人过河，以行动传递毕生的体验：像河一样倾听，像河一样与万物融为一体，像河一样与时间和解。像河一样，蕴藏一切，呈现一切。从厌弃"自我"到渡人度己，悉达多不再执念于"自我"，而是回到社会，重新去爱。

一行又一行，一页又一页，字缝里，书页间，无不行走着思与美的精灵。那些富有神秘气息的激情文字，深邃优美，展露了诗人黑塞内心的尖锐矛盾和迷人哲思。

拯救的话语

该书的结局平静而美好：悉达多的老友戈文达从好友脸上看到了人生的全部秘密。这结局简直平静到并没有讲出什么！但黑塞却用了极不平静的语言描摹这份觉悟：

> 他不再见到他的好友悉达多的面孔了。相反的，他却见到了其他种种的面孔，许许多多的面孔，一连串川流不息的面孔之河——数以百计，数以千计的面孔，都在不断地出现着、不断地消失着，同时却又似乎仍都存在着，都在继续不断地改变着，都在不断地自动更新着，而所有这一切的面孔，仍然只是一个悉达多。

戈文达从悉达多微笑的脸上感受到觉悟者的慈悲与宽厚，感受到生命中曾经热爱过的有价值的一切。那就是"无我"之中的"自我"啊，那就是"圆融统一"啊！

难道，这便是结局？

黑塞并没有完全解答我的疑惑。悉达多在河边悟到的圆满，佛陀并非没有提及。然而，他在河边的所悟，经由诗人黑塞的笔触，的确又有不同！悉达多当初不肯领受答案，宁愿独自上路，让人好生敬佩！那一刻，多么孤独，多么勇敢！

黑塞的一生都在寻找内在自我与外部世界的平衡。他向往寻常人家木制餐桌上的烛光，他留恋独步沙漠之时的遥望孤星，世俗和超越，他都深深眷恋。

黑塞对青春、对年轻人内心的悸动非常熟悉，他知晓燃烧在青春深处的生命之火。那样的痛苦与执着，犹如强光，灼烧着每一颗不安的心灵。那样的需求不仅仅属于黑塞。人因理性而自由，又因自由而完善理性，向内追索的声音或许微弱，却与众不同，此即主体意识，灵魂的全部秘密都与此有关。

自从记住黑塞笔下的这条河，我眼里的河变得不同寻常。

黑塞用了数万字的篇幅，讲述了话语和教诲的"无意义"。但他在语言中所娴熟运用的隐喻、意象、哲思，以及贯穿全书的激情和澄澈的诗意，打动了初读此书之时的我。不同的灵魂在同一躯体中激烈交战，这证明了灵魂的多样性和矛盾性，而面对这一点，需要莫大的勇气。至今怀念那样的时刻：若干年前的我，沉迷于一条叩问之河，并携带着它的美一路走下去。那样的美，属于生命中充满拯救意味的动荡一刻。

——发表于《书屋》杂志 2022 年第 5 期

永志不忘

——读博尔赫斯小说《刀疤》

博尔赫斯擅长制造叙述陷阱，读者跟随他的文字行进时，不知何处会突如其来地冒出分岔小径，也难以预测博尔赫斯自己会在哪里悄然现身。不期而至的，还有性格各异的剑侠武士、不失威严的叛徒恶棍、寻宝觅仇的梦中之人等。真的，我一直都相信，读者与作家之间不是简单的读与写的关系，而是肝胆相照的共创造、同生存。阅读行为若能勤于运用人的深层智力，那么它与作家的倾心创作一样，是高级的创造性活动。也许，一位作家的最浪漫心愿只是遇见一位最懂他的读者。博尔赫斯被称为"作家的作家"，故而，他对读者智力的苛求也是显而易见的。读者在他的文字迷宫里奔跑，惊叹，跌跌撞撞，或欢喜，或悲伤，最紧要的是，读者必须保持清醒的头脑：那里充斥着生与死的碰撞，爱与恨的冲突；那里的布局既简单又复杂，既百转千回又笔直得就像只画着一条直线；那里回荡着令人久久难以忘怀的生之气息，那是由不肯落败的虚构人物从死神手里夺回来的希望。

《刀疤》这部短篇小说读起来就像在观看一部悬疑电影。主人公穆恩的叙述不但充斥着博尔赫斯叙事所独有的紧张感，而且也展现了人物过度沉湎于自己所讲述之事的不可自拔感，小说以富有强烈氛围感的画面再现了主人公从未遗忘的一段往事，惊心动魄。这些清晰的回忆真实得就像发生在昨天——主人公从未忘却任何细节。

小说开门见山地向读者介绍了一道刀疤和它的主人：

他脸上有一条险恶的伤疤；一道灰白色的、几乎不间断的弧线，从一侧太阳穴横贯到另一侧的颧骨。他的真实姓名无关紧要，塔夸伦博的人都管他叫做红土农场的英国人。那片土地的主人，卡多索，起先不愿意出售。我听说那个英国人出了一个意想不到的主意：他把伤疤的秘密故事告诉了卡多索……红土农场的土地上荒草丛生，河水苦涩，英国人为了改变这种情况，跟雇工们一起干活。据说他严厉到了残忍的地步，不过办事十分公道。还说他爱喝酒，一年之中有两三次躲在那个有凸肚窗的房间里，猛喝两三天，再露面时像打过一仗或者昏厥之后苏醒过来似的，脸色苍白，两手颤抖，情绪很坏，不过仍旧跟从前一样威严。至今我还记得他冷冰冰的眼神、瘦削精悍的身躯和灰色的小胡子。他跟谁都不来往，他的西班牙语也确实差劲，讲起话来像巴西人。除了偶尔有些商业信函或者小册子以外，从来没有人给他来信。

博尔赫斯的文学图景试图概括人类的共同命运，因此连主人公的名字也显得"无关紧要"。可是，当我们追随小说家充满激情和悬念的叙述"到达"文末时，我们就会恍然大悟：其实，就连刀疤也是无关紧要的，小说家想要传达的，是比这位怪人和这道刀疤的来历更为重要的东西，他要在读者心中唤起的不止怜悯。

《刀疤》讲述了告密者穆恩的故事。小说家十分机智地以被告密者的语气讲述了一段经历，再让小说中的听众（即一位名叫"博尔赫斯"的人）询问起穆恩的下落，最后才由叙述者揭开谜底，承认自己即为穆恩，并对"博尔赫斯"说道："难道你没有看到我脸上带着卑鄙的印记吗？我用这种方式讲故事，为的是让你能从头听到尾。我告发了庇护我的人，我就是文森特·穆恩。现在你蔑视我吧。"

原来，这道刀疤"雕刻"着穆恩的悔恨：一颗痛苦心灵的耻辱；一个贪生怕死之人的软弱；一份与洁净灵魂黯然告别的绝望。

故事发生在爱尔兰独立运动期间，被告密者曾经救过穆恩，但穆恩却因贪生怕死而告发了他，致使恩人被捕遇难。被俘前，恩人听到穆恩正在电话里告发自己，就从墙上的兵器摆设中抽出一把弯刀，在穆恩脸上"留下了一条半月形的永不消退的血的印记"。穆恩领到赏钱后逃往巴西，而他脸上的那道刀疤，从此就成为他生命中形影不离的一个印记。

苟活下来的穆恩并非没有别的选择。他本可以通过整容术抹去刀疤，像普通人那样，正常地工作、生活，变着花样让家里的蜡烛亮得不平凡；他也可以保持沉默，不再提起与刀疤有关的任何事情；他还可以选择遗忘——我指的是那种真正的遗忘，只要他常年累月地逃避，不去面对真相，真相就会慢慢离去，直到烟消云散。曾经的所作所为，曾经的悔恨与伤痛，他都会通通忘光。他甚至终将忘记，自己也曾经有过理想。谁都不会关心他那颗冰冷的心，谁有空管他曾经是谁？生活、历史，常常只是"白白过去"而已。

是啊，他可以选择遗忘，抹去耻辱，蜷缩在一个无人知晓来历的城市里，了却残生，凭他的威严、才干，他能把日子过得风生水起，做一个体面公民；他也可以装疯卖傻，稀里糊涂，无精打采。让日子如同没有知觉的河水般流走，没有比这更好的虚度年华的方式了。

如果结局如此，那就太过平常、太过真实了。

穆恩选择了不一样的人生。

自从告密这件事发生以后，他虽然活了下来，但是记忆却变成一把弯刀，插入他的五脏六腑。他知道，自己的身心已死，唯有刀尖与身体的触碰之痛才是自己的宿命。

过往的耻辱成为穆恩的噩梦，他睡里梦里都忘不了。他活得像一个贼——心灵的原野寸草不生，独居的他就像孤家寡人似的，被困在孤僻的小岛上，没有爱情，没有亲人，没有朋友。他想啊想啊，终于想出了一条出路，一条使心灵能够重见光明的出路。他开始忏悔。他找到一切机会，郑重而怜惜地袒露自己的秘密，他不厌其烦地向人们诉说自己令人不齿的罪恶行径，每次，他都认真地把脸上的刀疤指给别人看。

像举行一场又一场必不可少的忏悔仪式，他一次又一次地主动揭开自己的疤痕。他看清了年轻时的自己，那样的活法真让人感到害臊。

那一道月牙形刀疤不仅刻在他的脸上，而且刻在他的心上。它仿佛有话要说，等待倾诉之后的被宽恕。它所承载的不仅仅只是肉体之痛。

被告发的人早已死去，却在告密者的忏悔中栩栩如生，而活下来的告密者却在年复一年、日复一日的诉说中，判处当年的自己死刑。在穆恩看来，自己苟活在死去之人的阴影中，他总是想起自己是踩着别人的尸骨才活下来的。

告密者穆恩以被告密者的身份向别人讲述这个故事，这既是博尔赫斯独具匠心的叙事陷阱，也是一种极有深意的角色置换，即穆恩如死去一般地活着，而逝者如活着一般地死去。

这道刀疤也是脆弱的、罪恶的、不忍直视的一段历史。

《刀疤》这部小说体现了人类与自身恶的艰难抗争。人在面对死神追捕时，为了卑微地活下去，放弃了道德、理想、良知。人们以"活下去"为唯一目标，心安理得地做着泯灭人性之事却毫无悔意，只有少数勇者敢于面对这样的"伤疤"，敢于寻找惨痛之后的精神获救之路。

人类与自身恶的对峙，既包括个人从恶中幡然醒悟，引以为戒，也包括一个民族、一个国家对历史和现实之恶进行脱胎换骨式的透彻清算。

"未经审视的人生是不值得过的。"不能面对自身之恶的人是看不见未来的，假如没有道德和精神力量的指引，人很容易陷入"非人"的陷阱。假如人生存于世，拒绝与死神搏斗，假如人在这场搏斗中不能看清人与其他物种的区别，假如人仅仅为了活着而活着，那么等待在前的，除了死亡的深渊还有什么？

同样，不能面对自身之恶的民族和国家，也一样前途渺茫。未经审判的历史之恶如同穆恩脸上的刀疤，如若加以隐藏，或用谎言加以掩饰，真相和历史的经验教训就会渐行渐远，人们善恶不分，只相信弱肉强食，即使身披现代时装，依然像生活在原始丛林之中，满眼只见树皮兽肉，远离现代文明。人们将出卖良知、放弃真理视作理所当然，频繁作恶却从不悔恨，人性光辉荡然无存。因此世界各国的人们建造博物馆和纪念碑，为淹没的巨轮，为战争受害者，为集中营受害者，为各种各样的灾难……这一切，不为"作秀"，只为从中吸取教训，永志不忘，避免悲剧重来。

当我在泰坦尼克号巨轮沉没纪念馆中看到一双儿童鞋时，我忍不住落泪；当我在玛雅遗址上看到"人祭球场"时，我无法理解曾经的历史；当我站立在诺曼底阵亡军人公墓前想象 1944 年的那次登陆战役时，我为人类的永久和平祈祷；当我在华盛顿朝鲜战争纪念碑前看到美国士兵雕像群时，我又怎能不想起在同一场战争中，从我热爱的那片土地上前往同一个战场的很多年轻战士在那之后就再也见不到家乡的油菜花开！我又如何能不想到在任何年代，都应当以追求最大可能的和平与自由为人类的使命……

这便是纪念和拒绝遗忘的意义。

我还联想到上个世纪发生在中国的文化大革命，那也是中华民族脸上抹不去的一道伤疤，疤痕之下尸横遍野，暗藏着愤怒的火焰……经历那场劫难而死的同胞早已在人间无立足之地，无论他们曾以多么年轻的生命美丽过……如果这一场浩劫未能被彻底审判，他们的灵魂将无处安息，将永远漂流在阴暗之处……在那个人人自危的荒唐年代，告密成为无可避免的生活方式。夫妻之间，父母子女之间，亲人之间，朋友之间，师生之间，邻居之间，人与人之间，彼此猜忌，随时反目成仇，人性的简朴之美荡然无存。文革离现在并不遥远，"疤痕"还在美丽的国土上撕裂人心。如果不能正视这一道丑陋"疤痕"，而是一味遮掩、巧言粉饰，甚至无法分清罪与非罪，为始作俑者开脱，那无数遇难同胞的死，就只是毫无意义地风化成了累累白骨。只要人们还在对这道"伤疤"施以"整容术"，继续粉饰、美化，那么，又能以何种方式来告慰死难者？最令人感到不安的是，整个民族将因此失去未来。试想一下，谁愿意活在那种墓地般阴森的黑暗氛围中？谁愿意活在饥荒阴影中？对以"告密"和"阶级斗争为纲"为生活方式的恐惧，就像一把高悬头顶的利剑威胁着每一个人。巴金先生曾经希望建立"文革博物馆"，并且身体力行，写下《随想录》，痛陈当年的"平庸之恶"。还有少数过来人，包括曾经作恶的"红卫兵"和"革命小将"等，在离世前主动向受害者作公开道歉。这些勇揭"伤疤"的行为虽然姗姗来迟，但相比于大多数当事人捂着"疤痕"的寂然无声，还是很值得赞美的。

每一份源自恐惧的沉默，都会加深恐惧。

这绝不只是一个施害者和一个受害者之间的事。

写到这里，我为博尔赫斯的匠心而喝彩，我仿佛看见失明前的博尔赫斯举着火把，指着古老洞穴中的一幅神秘岩画，他站在那里，狡黠地微笑着。我也对穆恩不同寻常的忏悔满怀敬意。博尔赫斯所描摹的这位告密者，最终以余生的反省，成为了一个自觉的人，一个勇于直面人性之恶的勇士，一个敢于揭露自身罪恶、重新审视理想的觉醒者。他的觉醒的价值通过博尔赫斯的名声而永远为人称道。

————写于 2019 年 12 月，发表于《中国作家网》"芦苇作品集"

雨中山果落

人跌跌撞撞地奔忙在世上，穿过一扇又一扇的门，踏过一条又一条的路，后面的门吱呀一声关上了，前面的门却连个影子都看不见！

人被荆棘地里的碎石砾磨破了脚，匆忙得来不及掏空鞋里的细沙，而路途所遇，着实有些不值一提。叔本华曾经提及的第三种悲剧听起来格外乏味，那是一些普通人之间的彼此对立，既非大恶，亦非大邪，甚至只是某种莫名其妙的"命运捉弄"，然而，这些对立可以在逻辑上成立，并造成相关人物的灾难。这一观点为许多艺术家所青睐，创造出各自的悲剧模式。叔本华大概不是一个顶尖的哲学家，但他一定是哲学家中的顶尖作家。对悲剧的认识到了这一层次，就生出美。阅读悲剧，感受悲剧，悲剧之美无声地渗入读者的心灵。人只有在理解悲剧的那一刻，才算对命运有所理解。我在年少时读过叔本华的《名言录》，以为他是一个愁眉苦脸的"悲观主义者"，及至成年后重读他的作品，我才看出他的乐观。这个世界在他看来，悲剧是必然的，孤独也是必然的，"要么孤独，要么庸俗"，但谁愿意变得庸俗？在叔本华看来，"痛苦、不幸恰恰就是肯定的东西，亦即所有的幸福和满意，却是否定的，也就是说，只是愿望的取消和苦痛的终止。"故而，叔本华式的悲剧观不意味着"否定"，反倒更接近东方式古典悲剧中的"放下"——消除欲望，修炼内心，进而消除痛苦。

我们曾在中国的古诗词中体验过古代诗人的此种悲剧意识。

"独坐悲双鬓，空堂欲二更。雨中山果落，灯下草虫鸣。白发终难变，黄金不可成。欲知除老病，唯有学无生。"唐代诗人王维如此写道。独坐的落寞不只在鬓已全白、夜已二更，更在于白发无法变黑，仙药难以练成。岂止是"难以"，简直就是绝无可能。诗人的眼里只看见了寂寥：山间野果自雨中散落，草间夜虫聚灯下低泣。

瞧，野果、夜虫、白发老翁、鸣虫叫声……这是多么平凡的夜！没有电闪雷鸣，没有狂风大作，也没有令人胆寒的虎啸狮吼。但我们读过此诗后，对诗人夜深心冷的境况感同身受。如此寂寥，何以解忧？历史呢？废墟呢？全都没有！没有那些豪迈的修辞，只有一切落空时的惆怅和一丝微弱的声音。诗人发出的悲歌极其纯粹，艺术上没有什么铺垫，只有平铺直叙的匆匆数笔。我们的心仿佛被撞了一下，却没有被撞到流出血来。这首诗与中国古代文人画的风格相似，禅意在其中一点一点地渗透出来。

有人说，中国古代的文学艺术作品都缺乏宗教层面上的悲剧意识，其实不然。王维的这首诗歌就有浓郁的悲剧意识，而且也有真挚自然的宗教情怀。

诗人不甘年华就此别过，不甘追求不朽的意念如黑夜般疾速沉没，那曾经汹涌沸腾的心如今只剩了虚无！接着，诗人话锋一转，又从不甘不平中有所醒悟，并从佛教教诲中找到了救赎之道。

"唯有学无生"。人的生老病死犹如一记铁锤，随时都可能砸到每个人的头上，唯有此时此刻可以把握，别无其他。一切都是转瞬即逝，一切都是过眼烟云，只有什么可以永存？只有学佛修佛，而后不生不灭。去我执，在此世，入空境。万物有灵，融入自然，融入虚无，"无我"之际，方有永存。无可奈何花落去，似曾相识燕归来，去的是实有，回的是虚无。只有虚无之物才有"不朽"。王维是一位寄情于优美自然的诗人，他眼中的"有情天"与心底的情感、信念也是相连的。

这首平淡的诗，无赤壁哀叹，无蜀道泣泪，无莫大悲愤，无极端痛苦，有的只是时间的嘲弄以及人与时间的对决。那么救赎呢？是不是很像镜花如幻，难以触及？然而，无论人生从哪一个方向来，到哪

239

一个方向去，救赎都是结局。虽然"消逝"等候在前，但救赎的愿望远比消逝更为长久，这一点尤其令人感动。救赎的路径既通向感性，也通向理性，它死守着生命的根基。这首诗里的救赎意识颇为突出：明知来日无多，也不沉溺于人间并无仙丹的悲苦，即使人生的谜底尚未揭晓，也要豁出去追寻一番！这样的意识其实就是一种现代意识，人意识到转瞬即逝中的"我"的存在！有了这一醒悟，人才有救赎的必要。现代意识并非只属于现代人……

这首诗以平缓静雅的自然风格展现了一幅具有长久美感的画面，淡淡的，幽幽的，绝情而去的时间游荡其间。这一刻属于所有的人。作为诗人的读者，我们在几个世纪之后还在吟诵他的诗句，我们分明感受到，那一位白发老翁的心绪还活着。

他的"虚无"等同于"实有"。

深受佛教、道教影响的中国式文学悲剧总是散淡而隐忍，虚无之"去我执"，向内修行，自我超越，仿佛世界上并无任何观众，无须刻意追求强烈的戏剧化效果。这种悲剧风格到《红楼梦》之时就被演绎得更为成熟、瑰丽。我一向觉得，林黛玉死后，《红楼梦》就已失去温情。但林黛玉"焚稿断痴情"那一段的描写却极有感染力。热闹的一边，冷清的一边，爱已成空，泪已滴尽。到终局时，宝玉离家出走，当了和尚，落了片"白茫茫大地真干净"。人生的虚空在《红楼梦》中可谓灵魂之词。从故事开始的空空道人，到"好了歌"以及"太虚幻境"，直到最后，一切都"幻化成书"，空空道人携一部《石头记》与时间交锋，将曹雪芹时代的虚空和中国人所感受到的命运虚空予以最富有文学性的呈现，在这个过程中，不难感觉到，王维式的散淡与隐忍气息也在书中流泻而出。《红楼梦》这部书的骨架正是由佛教、道教的中国式碑石搭建而成。宝玉的结局就是什么都不要了，向内，向自己的内心走去。他要追随前世那颗绛珠草的灵魂而去，他身在"此世"，心却脱离了"此世"。宝黛二人对于强加于己的悲剧命运有过抗争，小说的结局正是这一抗争的体现。他俩对中国传统中对几世几劫轮回的顺从生出了孩童般的叛逆，不肯安然接受被胁迫的命运。既然无可奈何，既然花落无所留，不如尽情而"死"吧！这一对生于富贵温柔乡的贵族青年恋人，因为相爱竟走到了"无立足境"，最后，一个葬花，不肯从俗；一个出家，大彻大悟。

幸福的时刻很短，幻灭的时刻很长。宝玉的背影就像行进在无边的荒漠里。他和林妹妹有所期待、有所留恋的幸福，早已消失无踪，只有后世读者的凝视与叹息留得住他的背影。

这也是艺术的结局。

——写于 2021 年 9 月

空巢渐冷

——读薛忆沩长篇小说《空巢》

> 我相信，通过《空巢》的阅读，读者们也会对我们所处的时代和与这个时代密切相关的历史有更多的理解，也会对自己的父母有更多的理解。——薛忆沩

神秘的薛忆沩被称为"中国文学最迷人的异类"。他隐居在蒙特利尔皇家山下的住处中同语言厮杀。他喜欢蒙特利尔，那里的冬天很长，雪一直下到春天来临，北方的冬日阳光也与故乡的不同，明朗中透着阴郁。在每一部作品动笔前，薛忆沩总会提醒自己，必须拒绝似曾相识，拒绝眼中噙着热泪去体验旧的激情、激愤、激昂。他建造起一座"空巢"，一座只有自己才能感知得到的艺术"空巢"，而后再往里装入他所溺爱的一切词语。他期待着这些词语被理解，因为这已被他填满的"空巢"正是他给予世界的理解。

薛忆沩的《空巢》正是一个讲述人类理解故事的长篇小说。然而，小说中的"空巢"却难以被"理解"填满，因为它是人自身所无法理解的命运，或者说，它是人由于某种匮乏而难以理解自我、他者乃至整个世界的荒诞。它的本质与艺术的本质相反，它总是在温热的时刻渐渐冷却，它是孤独。

薛忆沩的语言既有浪漫主义文学的繁复与精致之美，又有现代派小说对"时间"概念运用自如的那份娴熟。他不属于欧美文坛近年流行的"极简风格"的崇拜者。近些年来，尤其是在短篇小说的创作风

格上，极简化追求似乎是为了隐晦地迎合读者，在文学小说与通俗小说之间划出了一个中间地带。薛忆沩并非不承认雕琢语言与事实之间的对立。那又有何惧呢？艺术总是从最深远的、最神秘的源头处提升艺术家的想象力与判断力，理解这一点需要"时光机"的停留与加速，需要漫长的解释。他的经验和理性，他的激情和悲悯，都诱使他潜入艺术的无人之境，寻找那些禁锢在事实中的真相。他的遣词造句精确细密，读者几乎不可能删去任何一个字。他的重复句式的修辞法给读者带来撞击感特别强烈的阅读体验。我们可以感受一下以下的段落：

　　"去想想你自己走过的路。去想想你这一生的经历。你有过自己的生活吗？"我儿子激动地说……

　　"你根本就不了解我的一生。"我气愤地说，"你根本就不了解我的过去。"

　　"上当受骗就是你的过去。"我儿子说，"就是你们这一代人的过去。"

　　"你这是胡说八道。"我说。

　　我儿子沉默了一阵之后，改变了说话的方式。"我不知道你的过去。"他平静地说，"我只想知道你的现在。"

　　"过去就是现在的一部分。"我说。

　　这只是一个短短的例子。翻开薛忆沩小说的任何一页，都可以感受到他叙述中的优美、狂放、从容、犀利。他总是既严谨又洒脱，既冷峻又热烈。在薛忆沩这里，没有冗长，没有简洁，只有艺术对他紧追不舍的逼迫。

　　《空巢》采取了女性第一人称的叙述视角，这种叙述视角与该小说的诈骗题材相糅合，使语言的紧张度从开头一直延续到结尾，有着强烈的真实感和艺术感染力。叙述者与被叙述者为同一个人，即小说中的"我"———一位年近八十岁的独居老太太。她已退休多年，曾经在中学里教过四十年的政治课。有一对子女，分别移居国外，她一个人在自家的"空巢"公寓里"安度"晚年，除了被严重的便秘、孤独所干扰，生活尚能自理，日子既谈不上快乐，也谈不上悲伤。她最大的自信和尊严就在于一生的"清白和纯洁"，她认定自己头脑清楚。然而，一个诈骗电话却摧毁了她的虚假尊严。电信诈骗犯冒充一位不存在的"顾警官"，吓唬说，她已被坏人利用并"卷入犯罪集团的活动"，必须"坦白从宽"，全力配合"警方"，立即将分散账号中的钱转入"绝密账号"。"顾警官"还反复警告她，为了生命和财产的安全，为了躲避"内鬼"的跟踪，不能向任何人泄密。老太太被骗得服服帖帖，将话筒另一端的骗子当作财产、名声、性命的保护神，一切行动步骤都遵循"指示"，而她的女儿、儿子、邻居、楼下的保安等原先熟识的人都成了她因听从骗子而不得不撒谎的对象。在几经周折后，她将各个账号中的钱都转入了骗子指定的"绝密账号"。最后，当"顾警官"失联后，她在儿子开导下才终于明白自己被骗了。仅仅在二十四小时之内，老太太就经历了与一生一样长的四个充满戏剧性的时刻："大恐慌、大疑惑、大懊悔、大解放"。

　　骗局并不复杂，明眼的读者可能会纳闷："这怎么可能？一位知识女性竟然这么没头脑？"然而，那绝非仅是艺术的夸张。我们都知道，不少老年人成为这些年各类诈骗案的受害人，有的甚至因此家破人亡。诈骗案就是该小说在明线上的布局。虽然诈骗的手段并不高明，但薛忆沩的写作手法却极其高明。他自然不满足于写一个普通案件，小说的真正内涵在于暗线上的一种象征的深度。

　　小说家在这条暗线上安排了两个重要人物，即主人公已经去世的疯舅舅和母亲，通过主人公与至亲的阴阳交流将"空巢"的象征意义逐渐揭示出来。

　　小说的第一章第一节就第一次出现了"空巢"这个词："经过这么多年的'空巢'生活，我对这个特别的日子其实已经没有特别的感觉……生日那一天，谁都不可能找到我。也许我会躲到一个陌生的地方去，也许我就躲在自己的'空巢'里……"

　　如此看来，"空巢"既是一种生存"状态"，也是一个"住所"。

　　接下来，当女主人公接到"公安人员"电话时，随即变得惊慌失措："我紧张地环视着已经习以为常的'空巢'，突然又有了要出大事的感觉……我感觉'空巢'的每一个角落都弥漫着恐怖。我感觉我身心的每一个部位都充满了恐慌。"

　　女主人公的一生常常处于"要出大事"的惊恐中，她的生活离不开对世界的提防、警惕。恐慌、不安隐喻着主人公居于"空巢"之中的真实感觉。更确切地说，"空巢"的特征也可以概括为恐慌和不安。

　　"空巢"这个词开始变得触目惊心是在主人公的疯舅舅现身的时候，疯舅舅做了一个竹制玩具小屋，并定义了"空巢"。疯舅舅出现在第一章。女主人公在如厕中"看见"她已去世的母亲像从前那样坐在沙发的角落上。她"告诉"母亲，自己现在是一个"空巢老人"。她母亲却"纠正"说，她不是现在才成为"空巢老人"的，她母亲于是"提到"了女主人公四岁那年与舅舅之间的故事。当年，像幽灵一样的疯舅舅将手上的玩具小屋送给外甥女，并说那是一个"空巢"，是她的未来之家。

　　在第二章中，女主人公回忆起自己的婚姻，回忆起丈夫的去世，她这个有"洁癖"的女人在老公眼中等同于"没有女人味"的女人。她记起自己也曾经对自己的婚姻下过结论："我有一天想，错误的婚姻本身就是一个巨大的'空巢'，那是时间填不满的'空巢'，那是懊悔填不满的'空巢'……"

婚姻里没有爱和欲，没有两个人精神与肉体的结合，两个人看起来"在一起"，实际上却"不在一起"。还有比这更可怕的爱情幻灭了吗？但女主人公直到晚年依然没能理解爱情。她在去银行途中遇见了一位保姆，怀疑保姆想勾引那个"很纯洁的年轻人"，就希望那个年轻人不要"鬼迷心窍"。一个八十年来从未体验过爱情甜蜜的女人却在自己想象的爱情"不清白"中体验"高贵"，俨然像一位拙劣的爱情顾问。这些心理活动所刻意使用的词语都印证着女主人公情感世界的"一贫如洗"。

当老太太继而去银行办理转账手续时，每遇见一个熟人都显得疑神疑鬼，并且随机应变地开始撒谎。她变得极为不安，她对这充满"无限杀机"的一天感到疑惑不解。当她怀疑所有人都在羞辱她时，她并没有别的选择，她心里想的是："我必须尽快回到我的'空巢'中去。我要躲回到我的'空巢'中去。"这又折射出她无可奈何的人生处境。一个无处可去的可怜人，只有空空的"空巢"才是她不得不回的藏身之所。

而后，当女主人公回到"空巢"中时，她又"看见"了母亲。这一次，她母亲将疯舅舅的故事"讲"完整了。原来，她的舅舅曾经前途无量，大学里主攻物理学专业，同时也热爱文艺，还结识了一位左翼文艺青年，关系密切。舅舅放假时还带密友回家住过。两人在竹林后的凉亭里谈天说地。有一天，报纸上登出了该文艺青年被秘密处决的消息，从此，她的舅舅就变疯了，并将报纸视为谎言的载体。他执意躲进宅院尽头的"那间小杂屋"——他的"空巢"，他在里面的窗口边上悼念逝去的"颓废的爱"。土改时有人想毁掉他的"空巢"，他却在"不可能消失"的情况下人间蒸发了。

读到此处，"空巢"的涵义就越来越清晰了。疯舅舅一直念叨的左翼青年所写的《空巢歌》也预言了女主人公的命运：

子宫是空巢，坟墓是空巢/生命是空巢，死亡是空巢/记忆是空巢，想象是空巢/孩子是空巢，老人是空巢/时间是空巢，世界是空巢/语言是空巢，沉默是空巢/思想是空巢，梦想是空巢。

这首歌中的"空巢"几乎定义了宇宙中的万事万物。

文艺青年和疯舅舅都尝试过理解命运，知音已逝，疯舅舅的世界坍塌成空，他最终因不甘受辱而离奇失踪，他的结局揭示了一个"命运理解者"的"存在"高度。只有理解了命运的本质，人才能够主动做出选择。疯舅舅是本部小说中的唯一智者，也是唯一突破了"时间"这一枷锁的反抗者，同时还是"空巢"定义的诠释者。

《空巢》这部小说所采用的明暗线交错并行的方式相当机智，一条线连接着十万火急的欺诈案，另一条线连接着一个女人被扭曲的一生。当骗局终于被戳穿的时候，女主人公一生的"空"也被毫不留情地戳穿了。

对于女主人公而言，当她在这非常特殊的一天回顾过往时，她感到无法理解、无法接受。她也试图去理解自己生命中最重要的人，最重要的那些瞬间，而结果却很伤人：她未曾理解过任何人，别人也未曾理解过她。最理解她的，反倒是"比女儿还亲的"传销员小雷，但小雷却策划了这场骗局。失去判断力的忠诚与麻木，令人失去抉择时刻的清醒。而这样的境况就是老太太那一代人具有普遍悲剧色彩的集体命运。当她发现银行存款不知所踪时，当她不知道如何面对明天时，她联想到了自己在课堂上讲授的辩证法："它将我变成了一个被生活欺骗的人，同时又将我变成了一个欺骗人的人。这就是我当年在课堂上对中学生津津乐道的辩证法吗？这是生活对我当年那种津津乐道的抱复吗？"

显然，讲台上一本正经的政治老师并没有真正理解黑格尔的辩证法，这也绝非她一个人的局限。

小说家围绕着受骗案情铺展开女主人公的内心世界：她一生的精神状态、心理状态以及她未曾忘却过的、像潮水一般向她袭来的长达一生的苦痛与荒诞。这些记忆她平时或有偶尔想起，但都不如这一天这样令她感到这么痛苦，因为这一天极其难堪，这一天她经历了两个难以启齿的耻辱：第一个耻辱是被"卷入犯罪集团的活动"，她这一生都献身给政治上的"清白"——她那一代人的集体话语。她将解放的那一天视为"初夜"。作为一个匮乏的女人，她一生中少得可怜的性生活即使在新婚之夜也没能尽兴，但她却将自己最神圣的"初夜"感情献给了"革命激情"；第二个耻辱是她意识到今天的第一个耻辱居然是一场骗局，而骗局竟然是由她最信任的人导演的。她彻底崩溃了：她的愤怒不值一文，她的耻辱不值一文，她的命运也不值一文。她的肉体，她的精神，乃至她的一生，都蜗居在真实的"空巢"中。

薛忆沩花了三年时间完成了对他母亲那一代人的心理分析，他对现代派小说的痴迷更使他对笔下人物的内心和情感力量了如指掌。他对女主人公的心理活动、精神状态刻画都极为深刻、明晰。他的小说所要揭示的，不仅仅在于命运凌驾于个体之上的私人痛苦，而且也有人类对改善命运境况的诗意追逐。我们跟随薛忆沩的时空布局，跟随他几乎没有瑕疵的表述见证历史，我们在他笔下的"空巢"中记住爱的墓志铭，记住生的艰难，记住软弱的代价。

薛忆沩在明线情节上挑中了一个常见案情，这使历史的荒诞在"当下"予以显现。这种"在场感"之所以能够显得意味深长，是因为小说家对历史、对现实以及对两者之间的关联有着敏锐的洞察力。诈骗犯所使用的具有恐吓和拉拢特征的措辞方式，正是具有时代特征的"过去"的语言，然而，它又是现在依然还在"发挥效用"的语言，所以女主人公轻易中招。这一过程以夸张的艺术形式显露在我们面前，也就解释了骗局的"情有可原"和"连贯性历史"。这种悲剧的氛围正是《空巢》从一开篇就极为引人入胜的原因，可以说，从一开篇抛出"空巢"的各种暗示、抛出"语言"的欺骗性开始，这部小说就已经将一般的侦探文学小说远远抛到后边去了。的确，我们对这部小说的浓厚兴趣贯穿始终，它所呈现的人物命运特征和它所恢复的记忆如此扣人心弦，我们在阅读中渐渐理解了那一代人和他们所处的时代。那个时代还在影响着当前的时代，只有充分的理解和言说才可能在接近真相中恢复生活原有的色彩斑斓。否则，如同女主人公的苍白一生一样，历史绝不惧怕以"空巢"的形式迷惑、欺骗世人。

薛忆沩擅长从平凡日子中发现真正的文学性。他从日常生活场景中贴近时间和记忆，贴近人类心灵的脉搏，他的文字在真实与虚幻之间触摸生与死的边界，触摸人性渐冷渐热之间的变幻莫测。

小说家的文字抱负难以伪装，而一个苛刻的读者能否遇见他所倾心的作品，就在于他能不能体验到小说家的文字抱负所期望涵盖到的深度和广度。薛忆沩既醉心于艺术的召唤，又醉心于道德原则的召唤。艺术家或许不适合做一个道德判官，但艺术家不能没有基于普遍判断力的道德意识。我们难以赞赏一位小说家声称自己将对这个世界予以"无罪释放"。薛忆沩的写作一直挣扎于他对"世界性"的理解，挣扎于对真正形而上学问题的理解。作为一位从未低估过自己的艺术家，他从未放弃过追问："存在"的合理性究竟为何？那些"存在"的荒诞究竟荒诞在哪里？为什么？我们说到底能不能克服人性的缺陷？能不能感受到生的尊严和思的逼迫？

薛忆沩没有回避这一点。小说中穿插着叙述者对"宿命"狰狞面目的否定。小说有一段话这样写道：

    我母亲说她一开始无法接受那种幻灭。她总是问自己："这是我应该过的生活吗？"可是后来，她的问题变了，变成了"这难道不是我们应该过的生活吗。"她接受了那样的生活。她接受了生活对她的侮辱。她觉得那就是她"应该过"的生活。她觉得活着就是遭受侮辱，就是受尽侮辱。她说自己因为能够"接受"而对"革命"怀有一种很深的感激。她感激革命革掉了她的羞耻感。也就是说，外部的革命引发了她灵魂深处的一场"革命"。如果还有任何羞耻感，她不可能"若无其事"地经历她所经历的这一切，活到现在。她的感激让我看到同一场革命对我自己的影响：革命激起了我前所未有的羞耻感。我开始恐惧生活中的任何污点，我甚至会因为自己的出身而抬不起头来，我会将它当作一个巨大的污点，我一生都在努力地洗刷这个污点。

这段精确的、渐进式的语言写出了女主人公一生的生活基点：为了洗刷出身不好的"原罪"，为了站在"正确"的"阶级"这边，她压抑天性和个性，变成一个没有自我、没有灵魂的"空巢"人。

小说的结局出乎意料。老太太的儿子警告母亲，万一"绝密账号"的钱被坏人拿去做坏事，唯有提前报警才能证明自己是无辜的受骗上当者。老太太在两次报警未遂过程中精神受到更大刺激。接着，发生了一件丢脸的事。因为这一天的担惊受怕，老太太的便秘加重，在"空巢"里无论如何使劲都无法完成这一"艰巨"任务。但就在她离开派出所接待室后，在她感觉到所有人都是骗子后，她的头脑失去了对身体的控制。小说夸张地描写了这种"大解放"：

而几乎就在同时，一股邪恶的力量开始拖着我的身体急速下沉，沉向深不可测的黑暗。我开始还想抵抗。我用肩膀顶住树干，我用左手按压住自己的小腹。我用最后的一点清醒向身体发出抵抗的暗示。

……

痛痛快快地拉吧，把这一整天的恐慌和屈辱都拉出来吧。这来自意识深处的声音让我的身体充满了骄傲。拉吧拉吧拉吧，把这一生的恐慌和屈辱都拉出来吧。这来自意识深处的声音让我的身体充满了尊严。我轻轻地闭着眼睛。我轻轻地呼吸着樟树淡淡的气息。

......

我松开右手，已经被我抓成一团的报案单掉到了地上。我儿子说如果不报案，我就是真正"卷入犯罪集团的活动"了。他说得没有错，但是我现在已经不在乎了。现在我已经不需要在乎了。经过这最特殊的一天，经过目不暇接的波折，我已经知道生活是多么的荒唐，多么的不可理喻……我已经不在乎了。我已经不在乎别人怎么看我，也不在乎自己怎么看待自己。

一辈子有"洁癖"的女主人公就以这样看似污浊的方式解决了那一天的便秘难题。为什么要叫"大解放"？因为，当她不再害怕"卷入犯罪集团"的那一刻，就是她的个性开始觉醒的那一刻，就是她开始理解一切的那一刻。她怎么能像她的母亲那样，在遇到屈辱的时候就学会了"配合"？她主动接受了被强加的屈辱而不知抵抗，她那样轻易地学会了遵照集体话语去改造自己，继而失去自我。她也错过了对父母、对子女、对真正美好生活的理解。文革期间她为了丈夫的前途同父母断绝关系，以致于她母亲将父亲的早逝归罪于她。她对丈夫也没有什么感情，直到丈夫有了外遇她也没觉得难过。当她丈夫去世时，她才感觉到自己作为女人的失败。她这一生唯一"理解"并为之"献身"的，都是那些冰冷的"词语"：那些概念化的、没有温度的、带有欺骗性的词语——那些彻底的"空"。

这个过程来得有点晚，似乎等到所有的机会都丧失殆尽了，她才想到需要认真地理解一点什么。然而，这又无论如何不能算晚，因为大多数像她那样年纪的人至死都懒得去思考她终于能够意识到的这些疑惑。

小说的最后，一辈子深处孤独的"空巢"老太太向她意识深处的母亲说，她想离开这个充满欺骗的世界。而她睿智的母亲完全理解女儿的请求，她向女儿"伸出"了也许是唯一值得信赖的手。

这个安排并不一定意味着彻底绝望的女主人公将要自杀，这只是象征着她对一切过往所作出的无畏的告别，毫无眷恋的告别。她的抵抗是精神上的抵抗，同时也是对记忆、对懦弱的一种抵抗。她懂得了抵抗。她在抵抗中理解了尊严，理解了命运的基点并不是"空"，而是"有"。这样的理解超越了她从前的认知。她想离开这个"不值得来的世界"，换句话说，女主人公将所有的积污都排出体外后，觉得自己恢复了洁净之身，此时的自由与痛快是多么幸福！而她在最自由的一刻渴望前往"乐土"，这其中的象征寓意不言而喻。

因为，她想去那个没有欺骗和隔膜的"值得去的世界"。

这个结局并不只是一个耄耋老妪的抵抗，它更是一个识破骗局之人的抵抗。也只有在抵抗的这一刻，这个人才接近了历史和现实的真相，接近了她自身的本质。原来，人的命运、人性的完善都有其他的可能；原来，她的失败不只在于今天的被骗，也还在于从前的被骗；原来，她曾经固守的坚强仅是软弱罢了。只有在决心抵抗的这一刻，她才算理解了自己和亲人，理解了自己所处的时代。

《空巢》这部小说在明线和暗线的情节中，都非常细致委婉地描写了人与人之间、人与时间及记忆之间、人与命运之间的隔膜，而薛忆沩想召唤回来的，恰是与之相反的东西，即理解。

——发表于 2020 年第 2 期美国《红杉林》杂志

一个既说"不"更说"是"的人

——读加缪哲学随笔集《反抗者》

一

在《反抗者》出版前，加缪在路上巧遇一位朋友，握别时，他伸出手对朋友说："让我们握握手吧，再过几天，就没有人愿意向我伸出他们的手了。"果不其然，这本书面世后，来自朋友和敌人的冷箭和误解，就像一块不停滚动的巨石，压在加缪心上。

这部哲学随笔集出版于 1951 年，文笔精练，思想崇高，推理严密，充满阳刚之气。在长达四年的写作过程中，肺结核病持续困扰着加缪，医生对他的健康状况频频发出警告。加缪时常放下笔又拿起笔，心里不怎么踏实。望着窗外的阴雨，盼着久违的阳光，他诘问自己，是否已经倾尽智力和激情，如果死神正在严阵以待？

人类命运中有一种难以消解的黑暗，时不时地造就出与日俱增的时代裂缝，填塞它的，多是绝望与空虚，而另外也有一种光，透进来，增加光明的份量，这就是加缪这本书给我的印象。

二

何为反抗？在加缪看来，反抗的哲学内涵包括了"否定"和"肯定"两个方面。

他说："所谓反抗，是指人与其自身的阴暗面永久的对抗。"

何为反抗者？反抗者就是"一个说'不'的人。然而，他虽然说'不'，却并未放弃，他也是从一开始就说'是'的人。"

这里涵盖着两个层面。第一，反抗所包含的"不"代表了否定，加缪认为："有个界限是不可逾越的。总之，这个'不'肯定了一条界限的存在……因而，反抗行动同时也就是对视为不可容忍的侵犯予以斩钉截铁的拒绝。"

第二，反抗所包含的"是"代表了肯定，反抗的背后是令反抗者首肯的人所应当拥有的普遍权利，即反抗者肯定自身所捍卫的价值原则。反抗者感觉得到，这一价值原则"对他与所有的人是共同的。"

当奴隶意识到自己受奴隶主奴役而开始反抗奴隶主的时候，便是他说"不"的时候，他否定了奴隶主对他的压迫，但他反抗的又不只是压迫自己的奴隶主，他也反抗允许奴隶主和奴隶存在的人和社会，这样一来，他所捍卫的价值观使他的反抗行为转化为一个"肯定之物"，即肯定所有人都是平等的。

因此反抗是一种超越。反抗行动的深层本质是由"不"而衍生出的"是"，即，反抗归根到底是致力于创造的"肯定之物"。加缪的《鼠疫》《局外人》等小说都是对"肯定之物"进行赞美的史诗级经典作品。

"我反抗，故我们存在。"加缪在书中阐述了这一重要观点。他把笛卡尔的"我思故我在"中的"我思"用"我反抗"来取代，他相信，"反抗"在荒诞存在中所起的作用与"我思"在思想范畴中所起的决定作用一样重要，反抗行动证明了人作为人而存在的这一本质。个体在反抗行动中还意识到自己的遭遇不是孤立的，而是普遍存在的集体遭遇。个体在捍卫自身肯定的人类共同价值中与他人合作，团结互助，免于孤独。

在这个过程中，个人的奋起反抗就转化成群体的共同反抗，因为"我反抗"而产生了"我们存在"这个结果。反抗不再仅仅出于个人的义愤，反抗行动确立了普遍有意义的人类共同价值和共同利益，所有人隐藏在内心深处的最本质需求被大声说了出来。

<h1 style="text-align:center">三</h1>

反抗行动的上述本质也决定了反抗逻辑必须有它应当遵循的正义性、合理性、利他性。加缪说："反抗者是要让人们承认，只要在有人生存的地方，自由皆有其界限，此界限恰恰是人反抗的权利。反抗不妥协性的深刻道理即在于此。反抗越认识到应该要求正确的限制，便越加坚定不屈。反抗者无疑在为自己要求自由，但绝对不是毁灭他人的生存与自由的权利。"简单地说，加缪的反抗逻辑可以归纳为：一要服务于正义；二要拒绝谎言；三要勇于为别人争取幸福。

反抗的结果必须否定杀人的合法性，因为其原则就是反对死亡。加缪反复强调，不能以反抗之名对普遍的杀人和专制进行辩解、矫饰。

他反思了法国大革命、俄国革命、德国法西斯主义、斯大林主义的历史教训，尤其对苏联集中营以及支持其暴力的革命思想进行了驳斥。时至今日，人们已经知道，"古拉格"是一个庞大的劳改集中营，曾经遍布前苏联地区。十月革命后，一些"不可靠分子"就已经被关押到集中营里，当时的古拉格已初具规模。到斯大林统治时期，恐怖主义盛行，当权者不但迫害普通公民，也对共产党党内及国家内部机构进行了大规模的清洗，整个社会告密成风，人人自危。根据莫斯科的国立古拉格历史博物馆的数据显示，前后共有两千万"人民的敌人"被关进劳改营，其中约有两百万人最终死于古拉格。斯大林时代的法律与其说是"法"，不如说是斯大林排除异己的工具，审判所谓"罪行"的，唯有独裁者意志，而这种意志被冠以了一个颇具真理意味的名称，即"人民的名义"。

加缪的《反抗者》一书正是从反抗的哲学概念、本质、逻辑入手，梳理了德国法西斯主义和苏联极权主义的理论来源，并对其如何在历史中演变为国家恐怖主义作了理论上的分析。加缪指明，对现实和历史的反抗，不能成为杀人的借口，不能打破一个牢笼而后再建一个牢笼。"历史进步论"粉饰暴力，以诗一般的壮丽语言向往所谓的面向未来的"绝对正义"，其结果就是允许现实中的少数人对多数人实施专制统治。这种"豪迈"的"历史使命感"与道德相对主义一样，导致"一切皆被许可"的虚无主义，允许以未来和阶级划分的名义对活着的人实施迫害。

在这种虚无主义之下，宗教信仰中的"上帝"死了，而另一个鼓吹杀人的新的"人神"却出现了，一个法律框架下的恐怖主义国家机器建立起来了，人变成集体的附庸、阶级的符号，个体的独特性、单一性荡然无存。

可加缪的师长及好友萨特不这么认为，事实上，当时的法国知识界站在萨特这一边。萨特认为，苏联模式所依据的历史进步理论有其不可代替的历史价值，人是经济和阶级的产物，历史的进步需要付出巨大代价。在萨特看来，所谓的"共通的人性"并不存在，人有阶级之分，终极理想已在前方恭候，人们必须容忍当下的牺牲。萨特阵营指责加缪书中的"中立保守"立场，指责加缪反对革命，认为加缪对古希腊"美与均衡"精神的崇尚是在追求一种没有区分主人的道德统治。萨特虽然也承认集中营之恶，但他却说自己更反感"资产阶级"反复利用此事进行批判的那种论调。这样的画面该是多么的荒诞！一位号召青年争取自由的著名哲学家导师在这场唇枪舌剑中，望着集中营里的尸横遍野，连脱帽致哀都懒得表演，而是直接绝尘而去！

四

萨特在当时的欧洲学界拥有绝对权威，他对加缪的批评是加缪当时被知识圈排斥的一个重要原因。如今，当年的争辩早已偃旗息鼓，历史已经证明了加缪的卓越和睿智，苏联人也建立了古拉格博物馆以拒绝遗忘，许多文学作品也告慰着死难者。加缪被看作是那个时代最有良知的知识分子，人们说他挽救了那一代法国知识分子的名声，因而称他为"法兰西心灵"。的确，加缪所反对的那些理论及其实践给二十世纪的人类命运带来了数不尽的灾难，而反对神话历史和个人的加缪恰恰才是二十世纪最清醒的少数思想者之一。

"普遍的人性"不能用来当作法庭上判案的标尺，但是普遍人性有没有，我想，这是一个无须展开讨论的话题。如果没有普遍人性，世上还能有这么多鲜活的生命吗？在反抗历史暴行中，多少英雄人物纵身烈火、百折不回？在大屠杀之后，哪一个春天没有在寒冬之后到来？

善意和道德听起来总是不那么掷地有声，而破坏和暴力则易于产生文化淫威，注入社会成员的血液，使人类生存困境变得更加扑朔迷离。

加缪的艺术思想与反抗思想一脉相承，即致力于创造，致力于"生"。反抗的本质决定了艺术的本质。他说："艺术也是同时在颂扬与否定的一种运动。"而且，加缪还进一步通过对艺术本质的探讨阐述了反抗与美的关系："艺术至少告诉我们，人不能仅仅归结于历史，人在自然界的秩序中要找到存在的理由。对他来说，伟大的农牧神并未死去。他最本能的反抗肯定了所有的人共同的价值与尊严，同时为了满足对单一性的渴求，执著地要求享有真实中未受损害的一部分，其名字就是美。人们可以拒绝全部历史，却可以与星辰和海洋的世界融洽无间。"

　　换句话说，不能仅仅归结于历史（进步）的人，可以在艺术创作中发现美、发现自我，进而释放生命力、完善自我。艺术拒绝真实又反映真实，既肯定又否定。艺术也在对普遍价值观进行守护的过程中创造艺术家想象中的世界。艺术自行调整方向，在真实性与模糊性的对峙中展现美和冲突，鼓起反抗死亡与遗忘的勇气。

　　加缪在书中对虚无主义和道德相对主义的批判也同样适用于艺术领域。敌视或轻视艺术的原因难以尽述。比如柏拉图讨厌语言的说谎功能，就"禁止"让诗歌进入文学殿堂。是的，世上的好诗人相当稀罕，但这并非诗歌之过，诗歌受到哲学家的驱逐，这真是一个意外事件。后来的宗教改革运动也多少因其对宗教教义的绝对维护而忽略了美的多样性。现代的诸多革命运动更是将艺术当作工具。"为艺术而艺术""为人生而艺术""为进步而艺术"等看似高明的各种艺术观应运而生，压制着艺术。二十世纪至今的思想上空漂浮着各种各样的虚无主义幽灵，它们钻进人们悲伤又绝望的心灵，嘲笑人们心中的普遍良知和永恒价值观，否定人对生命之美的纯粹信仰。虚无主义时不时地以悲观主义、实用主义、精致利己主义、超现实主义等各种各样的面貌出现。无论是过度的逃避，还是急功近利地趋附于时代、权势，虚无主义都会导致艺术无法从反抗的源头得到营养。因为反抗的源头就是致力于"创造"，致力于维护普遍有意义的人类共同价值观。

　　艺术也是艺术家描绘人与世界、人与命运关系的暗喻，小说艺术在这一点上的特征尤为突出。加缪反对将小说变成"有闲者的想象"，他强调的依然是创造力和均衡，依然是人类和平的永久梦想。

　　当年华如细沙般从指缝间流走时，所有握不住的，都被悲哀地交给了时间，然而，人毕竟不是流沙，也不是时间。人在认识时间的过程中渴望了解自我的故事、人类的故事，渴望解开无解的命运之谜。艺术的产生正是依附于此。艺术在否定与肯定的相互作用中，焕发其生命原动力，展现反抗运动最初和最终的场景，展现赋予命运以意义的最纯粹的热情与悲悯，从而使现代人的心灵得到救赎。

五

1960 年，一场意外的车祸让加缪再也无法前往巴黎的咖啡馆消磨时光，而他自己也因为这一事故失去了"荒谬老去"的可能性。

可以说，加缪这位义无反顾地活过的艺术家，以写作为生命，在充满荒诞感的悲剧意识中，向世界铺展开一条无路可走的出路，即荒诞背后的奋起反抗。他消解了二十世纪人类历史上的破坏逻辑，重建了创造逻辑，这种创造的力量重塑着爱与美、自由与道德、秩序与均衡。文学舞台上的加缪风度翩翩：他释放了人的极致生命力，提高了人性层级；他在真实与虚幻的两极之间走着钢丝，在肉身与灵魂的冲突之间积攒着能量；他揭示了人的存在真相，证明了真理的崇高和触手可及。

与肺结核病抗争了一辈子的加缪，将生命的光亮献给了他所挚爱的人间，他是不一样的灯火。

他把被"荒诞"掏空的东西重新找了回来。

——写于 2019 年 6 月

谁不是过客

——读鲁迅诗剧《过客》

优秀的小说家在下笔时能够通过个体遭遇呈现全人类的遭遇。反之，即使在遣词造句上无懈可击，也只能呈现极为有限的个体遭遇。预言小说家更是小说家群体中最为痴狂的一群人，他们拿文学当冒险，哪怕被逼到无路可走了，也要悬着一颗孤勇的心，窥测世界。走不完的千山万水在他们心中延展，像一幅没有边沿的画布。为了捡回失去的东西，这些人不肯老去，他们冷不丁地说出某种真相，却不是因为洞察力，而只是因为爱。

预言小说虽然离不开预言，但又不仅仅只是关于预言的小说。它甚至不该有一个定义，它只能被理解。

我喜欢英国小说家福斯特在《小说面面观》中所描绘的预言小说特征："在陀思妥耶夫斯基的小说中，不论是人物还是境遇，所代表的都远非它们自身而已；它们身上都烙上了'永恒'的印记，虽说它们仍然自成其为个体，不过它们同时又都扩展开来，去拥抱永恒并呼唤永恒来拥抱它们。"

福斯特认为，预言小说家也是一个预言家，预言性小说的语言暗含着向无限方向延展的可能性，这一暗含的秘密才是预言小说的真实意图。福斯特还强调，"预言"要求人们保持谦卑和抛却一点幽默感。

的确，预言从来都不是躺在哪里等着被发现的——只有智者才能拨开时间之迷障，凝视它。我以为，福斯特所描述的难以把握的预言小说并非对情节和未来的预测，而是由修辞和思想合力，将小说的境界推向一个幽秘通透之处。换句话说，从最切近的现实（即当前文本）中，读者猛地领悟到：隐匿在文本中的一股势不可挡的力量一直向前奔涌，而后又返回自身。这种力量超越生活的真实，使一切迟钝的感知变得敏锐。

预言小说与象征主义小说颇有叠合之处，但预言小说的延展性更强、更远，直到无穷。

象征主义小说能够巧妙运用隐喻、象征，将一个意象"由此及彼"，而预言小说不但"由此及彼"，而且"由彼及无"，那么何为"无"呢？

"无"非"无"、非"空"，"无"即"万有"。

换句话说，预言小说带给读者的阅读惊喜离不开对无限与万有之物的激情。人会老去，预言不会。

福斯特对陀思妥耶夫斯基将"人类"作为其创作着力点的艺术手法极为赞赏，他说："在陀思妥耶夫斯基的世界中'不过'是某个特定人物的，也注定要跟他身后的全人类血肉相连。结果，洪流不定在哪里就会突然涌现，将我们全体裹挟而去——"

看明白了吗？福斯特所提到的"洪流"及其涌现，形象地描绘了预言小说的"轰响"之境。

鲁迅先生的一些作品就有浓郁的预言气息。他写起小说来，棱角分明、暗藏机关，他的一些小说读起来像散文，而一些散文读起来却像小说。散文诗集《野草》中的作品，大多言辞优雅，思想深邃，意象丰富。其中的《复仇》《雪》《影的告别》《希望》等名篇都是巧妙运用意象铺展预言的上乘之作。意象并不是遍地繁殖的夏日时花，越多越好。如果巧妙，意象可以"俯拾皆是"，譬如张爱玲对月光、旗袍、镜子等各式小物品的执着体验。但一个小说家就算不肯使用任何意象，只要他的客观叙事和主观体验能够自洽，他也一样能够创造出好作品。文学中的意象并非自古就有，而是在创作和批评中被"看见"的。

如何才能"看见"呢？那些模糊的意识，那些古老又清晰的自我，究竟已经存在了多久？作家如何向世界诉说所见所爱？通过眼睛、梦境，通过思考、语言。鲁迅先生写了很多仅仅为了活着而活着的中国人，写了很多中国人的麻木和怯懦，写了他所处的那个时代的激进与迟缓。那时候，他很想为那些人做些什么。他知道一切事情都不是"当代史"，他所着眼改变的，也不只是同时代人。

《野草》中最令人感到压抑的当属诗剧《过客》，读来既像散文又像小说。该剧写了一幕冷清衰败的傍晚景象。一位看起来像乞丐的中年人（即过客）来到小土屋讨口水喝，在土屋附近，杂树碎瓦稀稀落落，坟堆冷冷清清，每条似路非路的"路"都透出衰败和颓势，很显然，很久没有人走了。

土屋里住着老翁和小孙女。老翁礼貌地向客人打听姓名、来处及目的地，客人支支吾吾地回复说，不记得自己从何而来，不记得自己的名字，只知道从出生起就一直在路上走，总是一个人，总也没办法停下来休息，而他的脚呢，早已受了很多很多的伤，流了很多很多的血，破得不成样子。老翁心生同情，便劝客人稍作休息，客人回答说，他必须离开，如果不走，就再也走不了了。

看起来，"走下去"是这位客人的宿命和选择。老翁这个人早已放弃哪怕向前多跨出一步的热情，还是力劝客人停下。

这位过客的境遇真是令人同情，这是真的吗？世上竟有这等苦命的人？没有名字，没有来处，没有方向，光知道不停地走、不停地受伤、不停地流血……

过客是一个永远在路上漂泊的独行者，他向着坟堆和未知走去，他是一个"向死而生"的人，他也没有同伴。除了孤独，长伴他左右的只有"伤"，这"伤"不单指脚伤，也指心伤、命运之伤。过客并非英雄，亦非革命者，他不过就是一个普通人，一个不甘放弃的独行客。

鲁迅关注的是更为普遍的人的命运，因此"伤"成为一个富有预言气息的文学意象。

在未知的命运旅程中，谁不是过客？谁没有负伤前行过？受了伤的血肉之躯又该如何安顿未来？

当不谙世事的小女孩听说了客人的故事后，对他的遭遇产生恻隐之心，她递给他一小块布，对他说：

裹上你的伤去。

这句台词听起来平淡，实际上极不平淡。要知道，在已然放弃的老翁和不肯放弃的过客之间，只有尚未长大的小女孩，她处于过去与未来的裂隙之间，她或是负载着梦前行，或是放弃。

小女孩的这句台词隐含着深沉的哀伤与强大的祝福，它也真实道说了生活的本来样貌。但它打动我们的却并非因为真实，而是因为它蕴藏着荡魂摄魄的威力。

每一个字都重若千斤，每一个字又都轻得无法握住。

这句话像一束流动的光线，不停地跳跃着，照向将暗的黄昏。它挑动着我们的极端体验，是陈述句，也是疑问句，它由小女孩的口中说出，几乎没有任何发问的理由和环境，却在我们智识中发出"轰响"：生与死、冰与雪、高山与大海、道路与荆棘……而在问号消逝的瞬间，我们才发现，女孩口中的这句预言"裹上你的伤去"，才是真正超乎寻常的自然存在。

此乃福斯特所提及的"洪流"。

我们可以在一些痴迷无限的小说家那里感受到这份类似于"洪流"涌起的体验：陀斯妥耶夫斯基、托尔斯泰、卡夫卡、艾米莉·勃朗特、贝克特、加缪……他们对读者未必热情，却对事物的精魂极为着迷，他们只沉湎于那些即将毁灭和即将诞生的……融进作品的虔诚读者绝对感受得到这股"洪流"的撞击。在此种撞击中，光明与黑暗无处不在。诸如强烈的孤独、尖利的痛苦、无边的眷恋、深浓的感激、神圣的信仰等与敏感心灵共在的生命体悟，顷刻间如决堤之水，冲破心灵之坝，这正是我心中预言小说的至美。

预言小说家的这一能力让阅读成为一场净化心灵的精神风暴。他们不是非要说出什么识破天机之事，但他们勇往直前的不确定中有一种驱动力，有一种不同凡响的境界。

走下去。

走下去，终会遇见精神栖息之地。

只能写到这里了。黄昏，过客，老翁，小女孩，伤……这是鲁迅先生无法替天下过客作出终极安排的犹疑不定，他的笔只能停在"这里"了。然而，先生诗剧里的那句台词——"裹上你的伤去"，就像一支酝酿多时的雷暴般轰鸣的艺术歌曲，在我们心中庄严地响起，有些东西，有些决定我们将会是谁的重要的东西，就在这样"洪流"来袭的时刻，将我们的情感裹挟而去。

　　——写于 2021 年 10 月，发表于《中国作家网》"芦苇的作品集"

你不要迷失

——读萨拉马戈的"愤怒之书"《失明症漫记》

起初只是一个人的失明，一个人的恐慌，一个司机在十字路口发现自己莫名其妙失明的一场恐慌；接着是一群人的恐慌，一群忙碌的人在各自熟悉的命运场景中突然失明的巨大恐慌；最后是所有人的恐慌，所有被传染眼疾的人在地狱般的人间苟活着的走投无路的恐慌。

失明症是一种从未有过的"白色眼疾"，患者什么都看不见，眼前只有一片白瓷般的白。这象征着"一片光明"的白色背后，世界只剩下了黑暗。更可怕的是，作为传染性极强的瘟疫，人们相互对视就会被传染眼疾。也就是说，人们眼里的"黑暗"和"光明"是可以被传染的……这样充满隐喻和象征的寓言式开头，怎能不引起读者的丰富联想？但对于书中人而言，这样的现实该是多么的可怖！

与加缪《鼠疫》一书中所描写的瘟疫刚发生时的情况相似，一位医生最早意识到了眼疾的发生，紧急向"有关部门"报告。"有关部门"决定"再等等看"，并过滤真相以免造成市民恐慌。接着，政府又将患者强制隔离在精神病院，任其自生自灭，看守的士兵害怕染疾，非但不同情这些倒霉的人，反而虐待他们。盲人们无法解决吃喝拉撒睡等日常问题，也无法组织起有序自救。被送进来的病患越来越多，问题也越来越多，破旧的精神病院成为被遗忘的人间荒地，后来，士兵也全都失明了。

最终，所有人都失明了，城市瘫痪，昔日的文明之城沦为蛮夷之地。盲人们整日整夜地嚎叫，越来越不在乎面子、尊严，精神上仅存的一点光明洁净也荡然无存，为了吃上一口面包屑，他们甘心沉沦，放弃了文明社会的一切教养和规则。

作家不愿赐予笔下人物名字。这些无名无姓的人只有一个共同的称谓——"盲人"。他们看不见别人也看不见自己，他们分不清黑白与善恶，他们的灵魂游荡在地狱深处。这是一群退化了的丛林野兽，自我意识变成了镜中虚像。山高月小，人生世事，俱往矣。

在"满城皆盲"的混乱中，只有医生的妻子视力正常。当初，并未变瞎的她为了帮助失明的丈夫，假装染疫，混进隔离区。盲人们因为"看不见"而失去了行动的自由、观察的自由、思考的自由，行动被禁，眼睛被遮，他们"看不见"真实，他们的眼里只有黑暗"真相"中的"光明"——眼前毫无意义的一团白。医生妻子作为唯一"看得见"的人，目睹了城市的毁灭和人性的凶残，目睹了人们因"失明"才暴露出的"真实的样子"。活下去！她决心帮助自己和别人活下去。有位持枪盲人组织起一伙暴徒，霸占食物、强占物质、奸淫女性。医生妻子几经周折，最终用剪刀杀死了这位盲人首领。

医生妻子在历经劫难后坦然接受了自己和丈夫的懦弱，当她原谅丈夫被妓女（即戴墨镜的姑娘）引诱的时候，自嘲说，"世界就是这样开始的"。萨拉马戈对"戴墨镜的姑娘"抱着复杂的热情，很多男性作家喜欢触碰妓女题材，的确，反差大的人物形象易于制造小说的"奇观化"画面，易于刺激读者对文字生出模糊的幻觉。小说家让引诱过许多男人的妓女身披母性光辉，或许也有其阅读效果上的考量。一个以破坏感情为职业的女人可不可以表现得既善良又温情？当然可以。但这样的谋篇布局在此情此景中未必令人信服。小说家还将书中最慷慨的赞美献给了这位盲女，让她在复明后承诺，她将继续爱她在失明期间爱上的又老又丑、但却不乏勇气的戴眼罩的老人，那一刻真是感人，仿佛在绝境中感受到救赎的力量。其实，医生与戴墨镜姑娘之间所发生的偷情故事与"创世纪"之初"偷吃智慧果"的典故之间，并没有什么可比性，倒是更像一场刻意安排的出轨，整个过程显得仓促，缺乏艺术上的合理铺垫。

医生妻子这个人物的人性层次则比较丰富：既懦弱，又勇敢；既有无理性的时候，又有有理性的时候；既逆来顺受，又有"活着的人需要再生"的及时顿悟。她甘愿为帮助大家获得食物而屈服于歹徒的淫威，这或许也会让机智的读者质疑作家编造故事的能力，但这一情节也不乏其合理性：生活优裕、心地良善的人，即使在不得不反抗的时候，也会因不敢下手杀人而被迫忍受屈辱，毕竟杀人是需要"训练"的。

小说家笔下令人生不如死的人类绝境，也通过医生妻子的观察得以揭示：

> 不仅厕所很快成了这种状况，成了臭气熏天的巢穴，大概地狱里被判罪的幽灵们的排泄地也不过如此，而且，由于一些人缺乏自尊自爱之心，一些人突然急不可耐，走廊和其他必经之地在很短的时间里都成了厕所，先是偶尔使用一下，后来形成了习惯……那时他们才用手按着肚子，两条腿紧紧地夹着往那边走，在被人们踩过一千遍的粪尿地毯上寻找一块三拃宽的干净地方……只有几棵历经原来住在这里的疯子们丧心病狂的折磨之后幸存下来的光秃秃的树干，还有那些难以完全埋住死者的几乎平了的小土丘。

如此难逃一劫的绝望足以令读者因神经脆弱而"逃离"这一群人、这一本书。但书中的盲人却无处可逃，他们在将死的麻木中寻找食物和排泄之处。爱发议论的小说家认为，这些人失明是因为失去了判断力和理解力，而正是他们所失去的判断力和理解力才使他们患上失明症。医生妻子看见了不得不看见的一切。每当夜晚来临时，她只能独饮寂寞，她等待着与别人一样，因为她不想分清白昼与黑夜。唯独她"看得见"的这一事实，将她抛入绝对孤独和难以承受的道德责任之中。

"看见即自由，自由即看见。人和人之间是自由者之间的关系，却又是无法完全相互理解的，所有人都既是盲人，又是唯一的见证者。"这是清华大学哲学教授黄裕生的原话，如若用以形容《失明症漫记》中医生妻子的孤独，十分贴切。这一断言也指向了所有人的孤独。

医生妻子能够"看见"，本该感到自由。但她却情愿失去视力，因为自由也意味着孤独。她所看见的，别人看不见。她无法告诉别人一切，她无法被理解。

恐惧变成末日降临般的狂啸与寂静。大家等待的并非复明，而是死神。人若失去对未来的期待，前路除去死亡的深渊还能遇见什么？那样的时候，上帝都不忍多看人间一眼，小说中还写了一件离奇的事情：在一座大教堂中，所有圣像的眼睛都被人用白布蒙上了。

萨拉马戈说过："我们都是这样的混合物，一半是冷漠无情，一半是卑鄙邪恶"。他所指的"我们"，是与无限江山为敌的人类。七十六岁的他最终凭借《失明症漫记》夺得1998年的诺贝尔文学奖。书中的"盲人""失明""黑暗""组织""重生"等概念隐喻了人类的生存现实。萨拉马戈渴望遇见一个公平社会，但他的乌托邦之梦并没有实现。他似乎也没有能力找到合理之物。这使尖锐的读者只能从作家无限抽象的痛苦中看见冷酷和迷茫。是啊，萨拉马戈的愤怒与灰暗深深刺痛了世界。黑暗的森林里隐约有路，有即将隐没的清冷月光下的路标，但萨拉马戈却茫然地抽出匕首之笔，将夜涂抹得更黑，将路标投进茫茫大海，将第二天的太阳抹去，森林陷入了永远的黑暗与死寂。

人们聚集在一起共赴"必死"之约。那并非肉体之死，而是灵魂之死。所有的人都被小说家安置到了悬崖边上。

小说家用极端的语调展示人类的残忍。他在叙事中运用的语言、语法漠视一切秩序，仅在传递他最微弱的声音，一种介乎文明世界与动物世界之间的原始又凄凉的声音。

他的叙事与内心的无路可走叠合在一起。平实又虚空的句子准确地传递了人物内心的流离失所。如果我们能更进一步地"看"，我们就会看出，那流离失所的恐惧也同样属于萨拉马戈。小说中有这样的一段话：

> 但他们早已决定继续向前，那里没有食物，有衣服却不需要，有书也不能读。一条条街上到处是寻找食物的盲人，他们从商店里进进出出，两手空空地进去，出来的时候也几乎总是两手空空……

这部小说很像在讲述一个连绵不绝的噩梦，长句多，人物凑在一起发出类似梦呓般的苦闷声音，有一些自然段长得叫人喘不过气来，一个长达数页的自然段可不是一般作家能够驾驭得了的。人物之间的对话也令人迷失：没有引号，没有分行。整本书只使用逗号和句号。中文译本中的分号并非源于原著，而是源于翻译家范维信先生的机智。为了方便读者阅读，他自作主张地使用了分号。我们在刚开始阅读时可能不大适应小说家精力旺盛的长篇累牍，人物的虚空，语言的无序，都令人感到窒息，但在适应他的表述风格后，我们就理解了他笔下的那种混乱。这部书的心理独白和剖析全都非常长，需要我们集中心力探究其内涵。

我们被萨拉马戈的故事吸引，我们又千方百计地想摆脱他的故事，谁不想摆脱孤独呢？小说家虚构出一个不合理的现实，逼迫我们观看、观察、看见。

一群失明的人。一座失明的城。

当医生妻子带领一众盲人逃离失火的精神病院后，遇见了一位盲人作家。这位盲作家一直坚持写作，哪怕他只是将很多字重叠在了一起，很显然，盲人写作与盲人摸象相比，前者更为艰难。但这真的有用吗？作家的创作对于纠正黑暗有用吗？这位坚持在黑暗中捕捉灵魂暗火的人得知医生妻子"看得见"之后，鼓励她：你不要迷失。

读到这里，我无法无动于衷。在一个语言失去秩序、理性遭遇重创的时代，我们真的不会迷失吗？在利益面前，我们能够坚守正常的良知和判断力吗？眼下的世界既开放又封闭。普通人的经济利益和政治利益都在受到各种权力的侵犯，而利益阶层的合流也在加快步伐，一种新的"弱肉强食"正以理论方式要求民众愉快地接受自己的命运。以经济利益为核心的专制政权和他们亲自把控的各级垄断资本，不断地挤压正常市场竞争中的自由资本的生存空间，加速蚕食言论自由、信仰自由等人的各项基本权利。一个严肃作家如果还葆有梦想，那他的痛苦与这位盲作家是相通的。尤其作为华语作家，在这个年代是极其狼狈的。没有出版自由和言论自由，在写作之前，为了发表、出版，为了能在网络中顺利发出自己的文字，作家们不得不先进行一场"自我审查"。如果一个博主向一个平台申诉"我没有什么违规言论，你为什么删除我的帖子？"时，我们不忍批评他的迟钝，但是，当一个作家申诉"我没有什么违规言论，你为什么删除我的帖子"时，所有的作家都因此蒙羞。这算什么"申诉"呢？一个作家居然在质问删帖中承认言论控制的"合法性"？

因此，在当今这个时代，比放弃更艰难的是学会"看见"，学会在"看见"的同时不要迷失。

萨拉马戈这本写瘟疫的书也让人想起加缪的《鼠疫》。开头，结尾，过程，都看得见加缪作品的影子。但两部作品的叙事和思想内涵又有明显差异。加缪的"零度写作"中流露出他对秩序和文明更迭的坚强信仰，他让我们看见世界变好的可能性。如果说萨拉马戈是文学史中擅长制造"毁灭"的天才，那么加缪就是擅长制造"创造"的天才。萨拉马戈怀疑文明更迭对于完善人性的益处，他也怀疑制度建设和信仰可以拯救人性，他不相信悲剧和孤独的尽头会产生出公正，他不相信《圣经》中的上帝，却在心中隐隐期待着人间的"上帝"。加缪在本质上是反对"人间上帝"的，他的一生都在竭尽全力地抵抗"丛林法则"，他希望建立一个有爱有美有平等的有序世界。

他们都是愤怒的人，但他们的愤怒发出不一样的声音：加缪的愤怒是一簇簇火苗在黑暗中发出的噗嗤噗嗤声；而萨拉马戈的愤怒则夹杂着唯恐万物终结的凄厉呼叫声。

——写于 2019 年 9 月

那不属于他的阳光

——读纳博科夫小说《土豆小矮人》

纳博科夫是一位在语言游戏中玩得忘乎所以的大师。我读他的小说时常想起他老年时的一张相片：他头戴一顶白色贝雷帽，身穿一件深蓝上衣，右手握着一张白色捕蝶网，左手插在腰上，眼神犀利，嘴角的一撇淡漠显露出胜券在握的自负。那一刻，他正要去寻找他的蝴蝶。瞧，他就是那样着迷于捕捉的人。他把对命运的忠诚只交给他的笔。落笔无悔，繁华无迹，只有心碎的忧伤化作所有概念和真理背后的娓娓细语，飘荡在彩蝶飞舞的乡野之间。那就是他的慈悲。

这是一篇格调哀婉的小说。小矮人弗雷德那颗卑微的心充满无奈的颤动，一段缺乏滋养的单恋折磨了他很多年，这大概也是纳博科夫心目中最无意义的爱情了，因此小说家为这次的爱情设计了一个毫无意义的结局。我们目不转睛地注视着小说家手中的"魔笔"，我们为他笔下人物的命运感到揪心、不忿，对世上竟然发生过这样与爱情无关的"爱情"而感到绝望、空虚。有时候，人们对弱者的欺凌不知不觉，甚至以居高临下的姿态赏玩弱者的尊严而不自知。弗雷德虽然是个侏儒，却在内心涌动的情感暗流中拼尽全力，他渴望在精神上成为一个正常男人，但人们普遍轻视他，认为他不配得到"正常"爱情。

他的故事也是那些不甘命运所赐而幻想奇迹的小人物的故事。

《土豆小矮人》这个小说可以用一句话来概括，即一个弱者如何因为一个虚妄爱情而白白丢了性命。

故事从弗雷德解说自己的身世开始。他出生于 1900 年前后，出生前，他那喝起酒来像巨鲸的裁缝父亲给一个蜡像娃娃穿上了男孩长裤型的水手装，并将其塞进太太的被子中，弗雷德说："这样一来，我不早产才怪呢……这显然就是我如今这般模样的神秘原因——"小说家还轻盈地写道："每次说到这里，弗雷德·多布森总是无可奈何地伸出两只小手一摊。"这个开头如此引人入胜！纳博科夫一下子就抓住了我们的注意力。弗雷德的自嘲和吹牛都惟妙惟肖地展现了他的内心活动。

弗雷德在英国伦敦的一个马戏班里当侏儒演员，因鼻子肥大而被人戏称为"土豆小矮人"。脾气温和的他待人友善，举止从容，歌声动听，舞步优雅，经常在欧洲大陆的各主要城市演出，深受观众喜爱。剧场成为"家"，他在每一个舞台上绕着场子跑……虽说攒下了不少钱，但他却没有真正见识到世界的缤纷色彩。纳博科夫这么描写小矮人的体会："保留在他记忆里的只是冲着他哈哈大笑的深渊，无名无姓；散场后便是清冷的夜色，温柔迷茫，就好像你离开剧院之后台下那片空荡荡的深渊。"

二十岁的弗雷德外表看起来只像一个八岁的男孩，可他却有一颗渴望奇迹的正常男人的心。有一次，两位女演员半裸着身子挑逗他，搔他痒痒，他控制不住地扑到其中一位女演员的身上，却被刚进门的一个男演员发现，这个男演员像扔一只猴子一样，把弗雷德扔了出去。弗雷德受了伤，被魔术师肖克发现。肖克是弗雷德的舞台搭档，颇有诗人气质。肖克提醒搭档，不要幻想和"正常"女人亲热，还不如找个女矮人调情更为现实呢！弗雷德既生气又无可奈何。肖克同情弗雷德，就抱他回了家。肖克太太诺拉对丈夫不大满意，夫妻俩的关系模糊难辨。丈夫不分时间场合地卖弄魔法和聪明，神出鬼没，诺拉非常恼火却又无计可施。魔术师丈夫就像谜，深藏着她所无法了解的秘密。没有孩子的她对弗雷德的突然出现深感惊喜，她像妈妈一样照顾受伤的弗雷德。次日，肖克离家工作后，诺拉给弗雷德烟抽，并让他讲述自己的经历。弗雷德对诺拉产生了信任和好感，就字斟句酌地讲起自己的舞台和生活经历，他神情中的庄重、冷静与娓娓动听的声音打动了斜躺在沙发上的诺拉，她突然萌生出一个报复丈夫的诡秘念头。她平日里无所事事，因为无聊和掌控不住丈夫的心灵而变得郁郁寡欢。弗雷德的出现令她心中窃喜，以为找到一个报复丈夫的好办法：她将拥有一个"秘密"，这个词将不再独属于她的魔术师丈夫。她轻而易举地引诱了弗雷德，并与之交欢。

可怜的弗雷德！他哪里知道一个女人如地狱般黑暗的心！离开诺拉家后，他觉得整个世界都变了，他觉得，自己的人生变了。的确，从那时起，他的人生就变了。

弗雷德感受到从未有过的快乐。事实上，这也是他一生中唯一一次的性经历。弗雷德尝到了爱情的滋味、女人的滋味。他感觉自己因为进入"正常"女人的身体而终于跻身于"正常"男人之列，他不再是一个侏儒了。是啊，爱情与幻觉何其相似，它既可以让人长高，也可以让人变美，最妙不可言的是，它让人觉得自己是恋人眼中的全部世界。弗雷德理所当然地成为了世界上最幸福的人。

他发现街上洒满了阳光。他在舞台上时常躲进暗箱，听着台下观众发出欢呼声，对于习惯了那份黑暗的他而言，这可算是短暂人生中的第一道心灵阳光了。

他以为诺拉爱上了自己，就天真地以为，自己负有"骑士"之责，必须像男子汉那样守护爱情。他找到酒吧里的肖克，吞吞吐吐地向肖克解释，肖克却心不在焉地告诉他，将举家迁往美国。肖克回家后继续以魔术捉弄妻子，并告诉妻子，他已知晓她的不忠，决计以死惩罚自己。他装作中毒已深，即将告别人世。诺拉一开始并不相信，对丈夫冷嘲热讽，后来又信以为真，吓得大哭，并立即打电话求救，她绝望地发现，自己对丈夫的爱胜过一切。肖克确认了妻子对他的感情后，立即恢复常态。夫妇俩随后去了美国，继续过着难以靠近却又难以分离的"正常"夫妻生活。

可怜的弗雷德对这一切毫不知情，他也不知道诺拉只是随意地利用了他。他给诺拉写了一封热情洋溢的信："现在你明白我为什么再不像从前那样生活下去了。你知道每天晚上一大帮俗人看着你心爱的人前仰后俯地大笑，你心里是什么滋味吗？我这就撕毁合同，明天走人。待我找到个僻静的安身之处，就马上给你再写一封信，那时候你也离婚了，我们便能相爱了，我的诺拉。"

诺拉回了信，告诉弗雷德，那一天的事情只是一场误会。收到信后，弗雷德第一次犯了心绞痛，从此，他的心脏就有了问题。

弗雷德辞去工作后回到了故乡德劳斯——英格兰北部的一个小镇。心如死灰的他与爷爷一起过着与世隔绝的生活，但他一直没舍得销毁诺拉的信。小说花很大笔墨叙述了弗雷德回到故乡以后的生活：平淡，忧伤，如死水一般，一无所求，毫无希望，只为度日罢了。正当他渐渐忘却旧日伤痕时，曲折又起。在弗雷德回到故乡八年后，诺拉突然敲开了他家的门。

"阳光倾泻进来。一位高个子女士，一身黑衣，站在门口。"弗雷德的心里又一次见到了充足的阳光，依然是因为诺拉。

诺拉带来一个惊人的消息：那次与弗雷德的交媾使她怀孕生子。

于是，"小矮人怔住了，盯着一扇小窗，眼神火一般映在一只深蓝色杯子的侧面。一丝惊讶羞涩的微笑在他的嘴角闪烁，接着笑容扩散开来，笑得两颊通红发亮……霎时间他明白了一切，明白了生命的全部意义，明白了他多少年来的痛苦，明白了映在杯子上的那扇明亮的小窗。"

弗雷德立即原谅了诺拉的无情，诺拉为了让儿子长大而躲避着他的自私自利，他不介意。他很清楚，自己的侏儒形象会伤害儿子的自尊。当他从诺拉口中得知儿子一切"正常"时，如释重负。他眼里闪耀出热烈光芒，央求诺拉无论如何安排一次自己与儿子的会面。

诺拉说好。

诺拉走后，弗雷德一动不动，生怕任何一个动静都会打碎他那颗"完整的心"。但他随即意识到，忘了问诺拉她的英国住址了。他知道，诺拉需要步行一段时间才到火车站，便决定跑起来追上她。他从前擅长在舞台上奔跑，这可不算一件难事。他冲进卧室，精心打扮了一番。他穿上最好的衬衣，套上在巴黎定做的西装外套，戴上多年未曾碰过的圆顶礼帽，像要赶赴一场盛大演出。他指望追上诺拉后，能直接跟她回家去看一眼儿子。这段描写堪称经典。镇上的人从没有见过小矮人的这种舞台形象和他那激情难耐的小跑模样，人们跟随着他的情绪，整个城市陷入了狂欢。精彩的"马戏表演"惊醒了德劳斯这座终年昏昏欲睡的城市："镇上所有的狗都醒来了，在乏味的教堂里做礼拜的教众也忍不住听起狗叫来，还有吆喝狗的煽动声。跟在小矮人后面的人越聚越多，渐渐把他围了起来。大家都觉得这简直是一流的侏儒表演，不要钱的马戏，电影拍摄的现场。"

弗雷德越跑越快，即将见到儿子的喜悦让他激动不已，心脏像要跳出身体。当他终于追上诺拉时，"他终于看见她的黑长裙。她沐浴在阳光里，沿着一堵砖墙慢慢走。"

每当诺拉出现的时候，弗雷德就能够遇见阳光，令人惋惜的是，这是弗雷德心灵中的最后一道阳光，同时也是他眼中的最后一道阳光，他生命中的最后一道阳光。昙花一现的幸福就这样以一束阳光的热度支撑着弗雷德，直到最后一刻。

见到诺拉的那一刻，极度幸福的弗雷德心脏病发作，倒地身亡。诺拉眼见着弗雷德在她眼前倒下、死去，并没有感到很伤心，她更担心自己在一个陌生镇子里的安全，她需要脱身。

最后的结尾令人不得不佩服纳博科夫的手段。诺拉对着包围她的人群说，她的儿子几天前就已经死了。

诺拉对弗雷德无情无义。当她发现怀上弗雷德的孩子后，从未想过应该告诉他，她不愿自己的家庭幸福被此事困扰，一直到孩子去世，她才想起来应该告诉弗雷德。然而，当她准备和盘托出时，弗雷德眼里的光芒却又令她心生不忍，她决定继续隐瞒真相。

如果诺拉在弗雷德家里就告诉他这件事，他在伤心之后依然可以麻木地活下去。可是命运安排了一个玩笑，在数年的平静之后，弗雷德死于这一次的"狂欢"。

命运变幻莫测，只有纳博科夫是不可战胜的。

弗雷德对受挫爱情的惆怅情绪贯穿了这部哀婉小说的始终，直到文中结尾，由诺拉说出他们的孩子已经死了，才令我们于惆怅中震惊于弗雷德之死的毫无意义。比结局更重要的，是感受小说家行文的过程，在阅读中一直吸引我们的，是纳博科夫的语言。那从未松懈过的、富有内在冲击力的强烈情感经由纳博科夫别具匠心的细节剖析，创造出一个善良的可怜人的形象，弗雷德孤独无助的孱弱一生在魔法师笔下变得波澜起伏。命运不曾眷顾过弗雷德，他在舞台生涯中始终面对着深渊微笑，他唯一感到被上天垂怜的一次，就是遇见诺拉，但那一次的眷顾却又最终将他推向毁灭。还有哪个小说如此精彩地描写过一个马戏团侏儒演员在幸福突然降临时的那份狂乱、心慌和幸福？我是纳博科夫小说的热爱者，我在读完这个小说时，眼前反复出现弗雷德在惊喜和不安中一路狂奔、并带动整个城市一起奔跑的那一幕情景。我感觉自己也听懂了纳博科夫在蝴蝶丛中所发出的细声细语，无论他看起来多么高冷，他的写作主题和愿望都离不开对孤寂心灵的柔声安慰。

纳博科夫对这个世界的人道关怀是通过对死亡的残酷揭示来实现的。

——发表于 2019 年 8 月 5 日北美《侨报》"文学时代"

看见虚空

怡红公子在美玉坠落之乡"幻形入世",闯入红尘,不羡荣华富贵,只为收取绛珠仙子的今世泪珠。林妹妹葬花焚稿,泪尽而亡,只为报答神瑛侍者的前世浇灌之恩。曹雪芹以佛教道教的枝干为隐性思想骨架,搭起一条绵延不断的艺术常青之藤。

空空道人既在书外又在书内。在投胎转世之处,空空道人听闻悲欢离合,看尽世态炎凉,心肠忽冷忽热,直到悟"空"得道,携一部《红楼梦》与时间对峙。作者即为空空道人,一个历经几世几劫的寻仙访道之情痴。情即空,痴亦为空。书中多次出现的"太虚幻境"对小说家体悟到的"空"作了诠释。

起初,贾宝玉沉溺于爱神与美神(即"警幻仙子")指引他抵达的梦境,而后重回大观园历练一番,最终在挚爱死后大彻大悟,毅然追随那棵绛珠草的灵魂,出家,告别凡尘。至此,"太虚幻境"成为心的境界。

小说家的"空境"并非凭"空"建造,并非仅有情随事迁的感慨,而是"空"中有"物",有他对自己所处年代的犀利观察,有他对曾经月圆花好的真实哀悼。《红楼梦》的独创之处在于:它不但对古今中国人所感受到的"空"这一命运处境作了透彻的艺术上的揭示,而且还隐晦赞美了宝黛二人对不可抗拒的宿命所作出的至情至性的抗争;它尝试理解人类命运的心之所依、爱之所倚。王国维认为,在中国古代的戏曲和小说中,唯有《红楼梦》是一出"彻头彻尾之悲剧也"。《红楼梦》一书的悲剧就包含宗教和哲学上的"空无"意蕴。

空，虚空也。"虚空"在佛教中也指万物本体不存在，但人却可以感觉得到。无处不在，无所不包。哲学对于存在的论证也绕不开类似的"无所不包"之谜，人的精神渴望认识本源问题。尘土飞起落下，人在凡尘里飘来飘去，为何命运如此神秘？那些按时迁徙的鸟儿为何在过冬后竟然记得返回旧地？宗教和哲学说到底都是在搭建人的终极之居——"家"。哲学让人怀着强烈的乡愁冲动迈向一条"返乡"之路。返回故乡，返回"家"之所在。这样的寻找，太动人了。

曹雪芹的一生经历坎坷，惟红楼一梦支撑其青灯长夜。他将生活中的悲伤、欢乐与幻灭都当作无限遥远的记忆。他理解了，看见了，完成了存有之躯对此世的访问。"反认他乡是故乡"，在他的认知中，人的真正故乡就藏匿于"太虚幻境"之中。它犹如一场虚梦，在万事万物之外，与所有的空间和时间拉开距离。它是一个令人感到恍恍惚惚的地方，是一个心碎之词的故乡，是虚空的故乡……

"虚空"，人生的背景和结局，它在嘈杂声中带走嘈杂，在浮萍的翠绿中留下毫无保留的爱，它使一代又一代的小说家在与经典对话时深陷其中："……那到底是谁的虚空？请告诉我……我们的虚空？还是我的虚空……"

小说家中的佼佼者总是试图描摹自己那个时代的真实"虚空"。

每个时代都有自己的"太虚幻境"。时间像流水一样，一直在流，从未消逝。而我们如何认识时间，如何观察月圆月缺，如何面对变中的不变，都只能基于我们所处的年代和位置。我们是独一无二的体验者。但很多人在忙碌茫然的一生中从未"看见"什么，从未"看见"时代和自己的真实。故而，在艺术创作的万千魅力中，少不了最迷人的这一点：帮助人们"看见"。存在是意识，是有，是无，是摆渡在"有"与"无"之间的创造和理解。"虚空"既是存在的背景，也是存在的特征。哲学上的存在必然牵涉到人与时代的关系，这使每一个时代的虚空都独具艺术魅力，它让我想起夏日花园中的英格兰玫瑰树，每一株都有自己的芳香与花形，那些香气四溢的玫瑰啊，更是自带喇叭，向靠近的人和风大声诉说。

曹雪芹眼里的"虚空"与莎士比亚眼里的"虚空"包含相似之处，但相异之处更为幽深迷人。曹雪芹用"太虚幻境"解释他的"空"，莎士比亚用"荒原"来述说他的"空"。比曹雪芹更早的莎士比亚曾经用更短的篇幅、更犀利的笔触，描写过他那个时代的虚空——李尔王眼中的人生虚无。李尔王被两个女儿赶走后，流落荒原。他开始从普通人的角度看世界，他看见了世界的不公和人心的险恶。失去意志、精神崩溃的他"扯着他的白发，让盲目愤怒的暴风把它们任意披散；在他的人的微观世界之内，正在进行着比风雨的冲突更剧烈的斗争。"

在最后一幕，该出场的都出场，好人，坏人，犯过错的，追悔莫及的，见到的和不曾见到的，统统来了！所有的人都在台上背出属于他们自身的完美台词，而后谢幕。一切都是"凄惨的，黑暗的，毁灭性的"，一切都是"徒然的"，一切都是"永不回来了"。因小女儿柯蒂利亚遇害而悲痛欲绝的李尔王最终死于心碎，他死在最悲凉的爱的"荒原"中。莎士比亚将悲剧的场景设计得天衣无缝，心碎，眼泪，死亡，一切都无法挽回，完全是一幅世界末日的景象，那是命运对所有人的惩罚，是绝望的最后一刻。这也是莎士比亚悲剧中最为成功的一部，命运的影像完美地浓缩为舞台上的"荒原"——心碎的荒原，无尽的虚空。

人之浮沉，放浪形骸，由"空"至"情"，由"情"至"空"，人生世事，或俯或仰，宇宙之大，尘心之暗，艺术之美，何惧迂回曲折？理解虚空，解释虚空。

看见虚空。

——写于 2019 年 11 月

一个人的世纪回眸

《五十年间有与无》是《三十年间有与无》一书（复旦大学出版社 2009 年版）的增补本，从 1968 年写到 2018 年，是一位思想家所写的历史叙事作品。每一年的政治、经济和文化大事以及作者的个人生活是这本书的基本面貌，这些表象是作者的观察和思考对象，而他的思考既有基于日记的即时性，又有多年以后的审视，有一股不可抑制的激情和深沉的理性浮现于字里行间。独属于作者的哲学家气质和文人气质使得这本书与别的叙事作品迥然不同：在"把握时代"的哲学思考中进行着一场顶尖的思维演练，在渴望冲破一切束缚的语言表露中呈现出一种震撼人心的文学张力。该书描绘的记忆图景涵盖了中国从文革开始到 2018 年之间的重大政治文化事件，它思考的政治与哲学、文明与文化、个人与集体等一系列重大社会问题，又不仅仅局限于这五十年的时间跨度，可以说，这也是一位思想家的"世纪回眸"。

该书的非虚构氛围足以证明时代的黑暗与荒诞，而作者的思考和具有诗学特征的精确表达，却在荒诞中透着严肃，在黑暗中透着微光，它唤醒人们被集体潜意识和集体话语所遮蔽的情感，激励人们在真实的情感中思索自己的命运和时代。写过小说、剧本的陈家琪教授，其作品与别的思想家的不同，喷薄而出的诗心与情绪夹杂着戏剧氛围，将思考推向撼动人心之境。他的充满理性色彩的感性和他的充满感性色彩的理性，使作品充满生机，给人带来思想上的信心、情感上的共鸣。他把哲学当作生活方式，并且将这一体验通过他的著作和教学传播于世。哲学就是我们每一天的生活，哲学与我们的时代唇齿相依。而如何在思想中把握自己所处的时代，是他极为看重并且身体力行的。这才有了这本《五十年间有与无》：一本拒绝遗忘的书，一本非写不可的反思之书。在该书的序言中，陈家琪教授提及他为什么要写这本书："一个思想者和一个写作者，一生不给自己留一点点说真话的空间，是有点太对不起自己了……我想强调一下，这本书是写给后人看的，因为我知道 70 后、80 后、90 后、00 后的学生，对这段历史一无所知。晓芒说过一句话，好在我们还活着。意思就是要赶快，否则我们这一代人就真的慢慢死完了。"这样的紧迫感只属于那些彻底抛却了功利心的了不起的思想家和艺术家。这种崇高的激情和自觉奠定了该书的格调，它有别于任何可有可无的平庸之作，它针对人们的思想和行动之恶。

我出生于上个世纪七十年代，我得承认，我们这一代人尽管出生于文革或文革结束之际，尽管每个人的命运都或多或少地受到文革的冲击，但我们对文革和文革前的历史并不了解。我相信比起同龄人，喜欢写作和哲学的我更为关注与文革有关的主题，我从一些小说和纪实文学中看到了那个时代的中国人的不幸，那些人被扭曲的脸庞和茫然的目光至今还在我的脑海里出现，我从现实生活中也听说了一些与文革有关的惨剧，岂止只有文革，还有文革之前的各种运动的受害者的悲鸣。一年又一年，人们对于幸福生活的信念在一次又一次的斗争和思想改造中失去了根基。文革结束时的"平反"和"落实政策"的情形，我在幼年时曾经听说过。但人们似乎只希望从中得到某种物质和精神补偿，得到补偿了，就又回到老路上，歌功颂德，遗忘。无数人成为祭品，一些为反抗暴政而牺牲的英雄人物，比如张志新、林昭、遇罗克等，他们的名字至今还是"敏感词"，人们无法公开纪念他们，更多的人从未听说过他们的名字。这也成为陈家琪教授心中的莫大哀伤，他在呈现事实中也呈现了语言的本质，语言的本质即为思想的本质，而被遮蔽的语言亦即被破坏了的思想，他迫切希望自己"微弱又消极"的声音能够有助于缔造一个更有"合理性"而又不失中国传统美德的理性社会。

对于一个有着悠久历史和强大传统文化的民族而言，在人民共和国成立之后，本希望人们能够"站起来"，结果却是一个运动接着一个运动，至今未能真正走出这个怪异的轮回。痛苦和不幸确是必然的，幸福反倒是不可思议的。但这个制度是如何设计出来又如何成为现实的？如果可能性只是现实的多种选择之一，为什么整个国家选择了这种最不正当的"人整人"的秩序？文革并没有以法律的方式被终结：没有国家道歉，没有对始作俑者的审判。由于缺乏真正的反思，文革的幽灵一直在中国那片土地上徘徊，近年来，一些违背人的天性的"教育"模式，比如举报、告密、敌我划分等，又在校园里"强势归来"，毁坏了教育的根基——这是怎样的设计啊？让几岁小孩子学会仇恨？难道这个阶段的孩子不是应该只在草地上奔跑并在心中描画行走之梦吗？他们的梦怎可以存活在以"党国"利益为重的非普世价值教育中？这一切究竟是为什么？根源在哪里？为何教育未能在孩子心中播下普世价值的种子？

我在《五十年间有与无》这本书中找到了许多答案，内心受到很大的震撼。竟然有过那样的事情！竟然有过那样的思考！竟然能够那样表述个体和时代的真实！文革是一场悲剧，是对文化和文明的同步戕害，但这戕害是不是只是毛泽东和他身边的几个人造成的呢？每一个自认为是"好人"的个体该如何为自己的行动负责？那只是群众的集体无意识吗？在那些失去了个体真实的人群中，那些独处时的正常人、一个个好人，怎么可以行恶却不自知呢？为什么那样的年代，那样的人，那样的话语方式依然在掌控中国人的生活？

该书序言中还写道：

> 当我打开1968年的日记，开始写那时的经历时，就已经意识到这已不仅仅是在写我个人的成长与相恋，在某种意义上，它也是我们这一代人共同的经历。这个国家，以自己独特的方式，训练得千人一面，万口同声，而且让这种情况成为了一种大家都习以为常的日常生活形态，稍有与众人有所不同的言论、举止、表

情都可能使自己成为"另类"。本人才疏学浅，但也还没有见过中国历史上曾有过如此高度一律、必须一律的社会思想管理方式。自然，它是现代性的产物，是传统的伦理秩序（上下尊卑）与现代的政治秩序（党国一体）的完美统一。所以，我觉得我写我，也就是在写与我几乎一起成长起来的成千上万的别人；而且我所面对和思考的问题，也就是大家几乎不得不面对和思考的问题。当然，我主要还是对自己的剖析和解读，交织着种种的困惑与悔恨。这 20 年（1968-1978、2008-2018）我控制在每年一万字左右，否则怕会很长，而且，要尽可能讨论一些理论上的问题，把当时的所思所想与今天对比着重新表述，总之，大家可以把它看作是一本历史叙事的记忆，一本黑格尔所想写就的'非虚构的文学作品'。我的大部分作品基本上都遵循的是这个格调。当然，这20年的文字中，更多了些哲学的讨论，使之也成为了一本理论著作。我认为在这补写的20多万字中，基本上已经涉及到了我们这一代人所可能遇到或想到的大部分理论问题。

作者的意图和行文方法在上述文字中有了进一步的阐述。《五十年间有与无》一书围绕着语言、暴行、个体真实与时代这几个主题展开了叙事和思考。

乔治·斯坦纳说："语言是人类和其他生物的分界线，人类有了语言，地位才高于沉默的植物和只会咕哝的动物。"海德格尔也说，语言是存在的家。语言是思想载体，是思想，是我们每一个人在世界上成为自身的本质手段。语言也可以脱离个体真实，成为集体话语。全书的第一页，作者就从"狠斗私字一闪念"这句口号开始，展开了对语言（即思想）的反思：

回看1968年的日记，既心惊肉跳，也羞愧难当；那时的我，怎么会是这个样子？！这是一种真正的羞愧，交织着对自己的那种以真诚来目空一切的羞愧；那是一种因自以为是的真诚而目空一切，因目空一切而完全无视、也不知道人间尚有"真实"二字的精神状态。真诚指的是真心实意，目空一切指的是真理在握，所以傲视天下。现在，这两点终于都走向了它绝对的反面。其实那时也并没有对"真理"这一个概念有任何理解，也几乎无人提及真理，取代真理的就是日夜宣传的毛泽东思想，就是无休无止、永无止境的"狠斗私字一闪念"。毛主席的话每句都是真理，这本身就已经是无可置疑的真理。

……

先后死去的两拨人是对立的两派，但都说自己是在保卫毛主席。所有的人，在杀死另一个人时，都有最冠冕堂皇的理由，这就是：誓死保卫毛主席！

一直到全书结束，这种对"口号"和"概念"关系的哲学与文化思考都没有中断过。可能事情不同了，但本质却是一样的。概念和口号是如何转变为"暴行"的？革命就都对了吗？这一系列思考几乎触及到了西方哲学史的全部重要内容。而理论在现实中的作用，如何简化到文革前后的那种"一刀切"的愚昧？人怎么就只能活在"口号"中而泯灭了人性？文革前后的无数口号和这几十年的常见哲学与文化概念及其来龙去脉，在书中皆有实践和理论解读，令人在触目惊心中不得不问一声：为什么？这究竟是为什么？如果这些问题不能解决，恶的循环将很快再现，现在不正处于一个历史转折关头吗？

这几年，我从陈家琪教授的著作和思想中汲取了很多属于我的营养，成为我精神的一部分。在写作中，我越来越渴望将我的不成熟的理论所得融入文字，这对于我，成为自觉，它不是必须的，甚至也是艰辛的，但一旦某种信念溶入血液就难以改变了，人如果知道自己应该坚守什么，就不会感觉无路可走了，这也是我从家琪教授的为人为文中学到的。我也相信，这也是现在的读者和后世之人从这本书中所能够学到的，换句话说，读过这本书的读者，不可能无动于衷，除非他不喜欢动脑筋。理解这本书，我们就应该想到，每一个懂或不懂哲学的人，每一个个体的人，都具备一种哲学上的可能性，他有可能突破自身的狭隘与思的迷雾，在寻找语言的过程中寻找真理、自由，并以一个"站立之人"的姿态投入他的时代、他的社会，他因而成为一个真实而完善的人，而非一个片面的人。

毫无疑问，《五十年间有与无》是一部完美展现时代氛围，突破思想禁锢的非虚构典范之书。作为顶尖思想家的陈家琪教授，已经将他的厚重理论和爱，献给了我们所有的人。

——写于 2022 年 2 月

作者文学简介：

　　芦苇，原名张焰，作家。上个世纪七十年代出生于福建，籍贯江苏。毕业于厦门大学哲学系。发表的小说、评论、散文见《长城》《侨乡文学》《书屋》《书城》《侨报》《小说与诗》《作家》《世界华文文学论坛》《福建文学》《红衫林》等国内外报刊杂志。散文作品曾选入《他乡星辰——北美华语作家散文选》（云南人民出版社）、《2020 中国年度随笔》（漓江出版社）等选集。著有散文集《异乡人之书》。现居加拿大。

　　联系邮箱：poemlegend@gmail.com

　　个人网页：www.luwei.ca

Lightning Source UK Ltd.
Milton Keynes UK
UKHW022033090223
416682UK00015B/1805